高校生だけじゃもったいない

仕事に役立つ

新・必修科目

情報I

中山心太　NAKAYAMA SHINTA

JN108263

PHP

現在の高校生は何を学んでいるのか？

現代の業務改善とは何か？

DXの全容、日本企業のアジリティとは？

第 2 章　情報Iの概略を掴む

第 3 章　情報Iをより深く理解する

コンピュータと人間は何が違うのか？

統計は「全体」を見ないで「全体」を見る

要件定義は上から下へのブレイクダウン

第 4 章	情報Iを超えて、いま学ぶべきこと

プログラミングから機械学習へ

生成 AI による社会変革

政府系バズワード解説

ブックデザイン／Sparrow Design（尾形 忍）
イラスト／うてのての

## 第 1 章

情報Ⅰの衝撃

　この章は「現在の高校生は何を学んでいるのか？」「現代の業務改善とは何か？」「DX の全容、日本企業のアジリティとは？」の三つの項目からなっています。

「現在の高校生は何を学んでいるのか？」では、高校で必修になった情報Ⅰがどのようなカリキュラムなのかについて解説し、情報Ⅰと互換性がある社会人向け資格 IT パスポートとの関連についても解説を行います。

「現代の業務改善とは何か？」では、現代がどのような社会であり、なぜ情報Ⅰが必修にならなければならなかったのか、コンピュータの性能は 50 年でどれくらい向上したのか、コンピュータは次々と新しい産業に進出してきている、という時代背景の話をしていきます。

「DX の全容、日本企業のアジリティとは？」では、日本企業が現在取り組んでいる DX について解説をしていきます。DX は海外で流行っていた言葉だったのですが、2018 年ごろに日本に輸入された際に概念の変質が起こりました。結果として DX は極めて多様な概念になってしまったため、本項ではさまざまな DX の定義の紹介と、DX を進めていくための指針を提供します。

　現在の高校生は何をやっているのか、過去 50 年にわたって産業はどう変化してきたのか、現在日本企業はどのようなことに取り組んでいるのか、それに高校生が学んでいる情報Ⅰがどう絡むのか？　本章では現在、過去、未来を、情報Ⅰという切り口から話します。

現在の高校生は
何を学んでいるのか？

「情報 I」試作問題の衝撃

　2022 年 11 月、教育関係者や IT 関係者に衝撃が走りました。独立行政法人・大学入試センターが、2025 年 1 月実施の大学入学共通テスト（旧・大学入試センター試験）から課す新科目「情報」の試作問題を公開。この試作問題の難度はとても高く、2 年あまり後には高校生がこのような問題を解くことになるのかと驚愕したのです。

　2022 年 4 月入学の高校生から「情報」（外国語・理科などと同様の教科名）の科目である「情報 I」が必修化されました。上記の通り、2025 年 1 月以降の国立大学受験者には、旧来の国語、地理歴史・公民、数学、理科、外国語に「情報」を加えた、6 教科 8 科目が課されることになります。

　筆者が「情報 I」の試作問題を解いた感想は、「IT パスポート以上、基本情報技術者未満の難易度」。また、統計やデータ分析、シミュレーションの問題についても、統計検定 3 級相当の内容が出題されており、高校の数学で学ぶ確率統計やデータ分析の理論を、正しくプログラミングに変換し、観察することが求められた良問でした。

　確率統計やデータ分析を高校でやったことが無いという人も多いでしょう。これは、2012 年度の指導要領改定で、データ分析や確率統計が数学 I に含まれるようになったためです。今の高校生は、情報 I だけでなく数学についても、大人がやってこなかったカリキュラムをこなしているのです。

情報 I 試作問題の構成と配点は次のようになっています。

問題番号		選択方法	出題内容	配点
第 1 問	問 1	全問必答	(1) 情報社会の問題解決	4
	問 2		(4) 情報通信ネットワークとデータの活用	6
	問 3		(3) コンピュータとプログラミング	6
	問 4		(2) コミュニケーションと情報デザイン	4
第 2 問	A		(1) 情報社会の問題解決 (2) コミュニケーションと情報デザイン	15
	B		(3) コンピュータとプログラミング	15
第 3 問			(3) コンピュータとプログラミング	25
第 4 問			(4) 情報通信ネットワークとデータの活用	25
			合計	100

　第 1 問が知識問題ですが、この配点はわずか 20 点しかなく、シミュレーションやプログラミング、データ分析の問題が残りの 80 点を占めます。教科書を眺めただけでは解くことが難しく、プログラミングや統計の実習を通じて、手を動かして学ばないと解けない内容に仕上がっていたように感じました。

　なお、筆者は 100 点満点中 90 点しか取れませんでした。回答忘れが 1 問、16 進数の A を 11 だと勘違いしてしまったケアレスミス、作図途中の図の続きを書いて答える問題を、図から値を読み取る問題だと勘違いして回答してしまった、という 3 つの失点がありました。

高校での情報教育の流れ

　読者の中には「情報Ⅰ」という科目が唐突に始まったように感じる方がいるかもしれません。しかし、高校における情報教育については昨日今日に始まったものではなく、既に 20 年以上の歴史があります（下図）。ただ、これまで「情報」が入試で出題される大学はわずかでしたし、前身となる「社会と情報」「情報の科学」のうち、約 8 割の高校はプログラミングが含まれていない「社会と情報」を選択していました。つまり、生徒も学校側も、あまり身につく情報教育をやってこなかったわけです。

高校で履修する「情報」の変遷

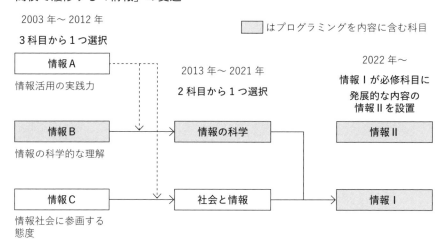

　今回の「情報Ⅰ」が革新的だったのは、プログラミング教育が必修となったこと、そして国立大学の入試で使われるようになったことの 2 点です。これにより、学生も学校も本腰を入れざるを得なくなりました。ここにきて 20 年以上続けられた情報教育がいよいよ本物となったのです。

　それではなぜ全高校生が情報を学ばねばならないのでしょうか？　大学受験に必要だから、という理由ではありません。情報を学ばなければ、現代のビジネスが成立しないからです。社会が必要としている人材を高等学校教育が供給するために、「情報」が大学受験において必須化された、というのが「情報Ⅰ」導入の大まかな流れです。

情報Ⅰの目的とカリキュラム

　学習指導要領に示されている情報Ⅰの目標は次の通りとなっています。

　（1）効果的なコミュニケーションの実現、コンピュータやデータの活用について理解を深め技能を習得するとともに、情報社会と人との関わりについて理解を深めるようにする。

　（2）さまざまな事象を情報とその結び付きとして捉え、問題の発見・解決に向けて情報と情報技術を適切かつ効果的に活用する力を養う。

　（3）情報と情報技術を適切に活用するとともに、情報社会に主体的に参画する態度を養う。

　この目標は多くのステークホルダーとの調整の元に作られているため、1つの項目の中にさまざまな要素が詰め込まれていると考えられます。そのため、これらを分解していくと、次のような能力の獲得が情報Ⅰの目標になると思います。

●プレゼンテーション能力
● SNS を通じたコミュニケーション
●コンピュータの構造と仕組みに関する理解
●データの利活用
●データ分析
●プログラミング
●情報技術を利用した社会課題の解決

　ここに挙げられたものだけでも、従来の高校教育が取りこぼしていた社会人にとっての必須スキルが、情報Ⅰに詰め込まれているのがわかります。

　それでは情報Ⅰのカリキュラムを見てみましょう。情報Ⅰは「情報社会の問題解決」「コミュニケーションと情報デザイン」「コンピュータとプログラミング」「情報通信ネットワークとデータの活用」の4つの単元が指導要領では提示されています。

　それぞれの単元について、大項目と、その中で取り扱われる特筆すべき技術、考え、キーワードについてまとめたものが以下の表になります。

単元	大項目	特筆すべき技術、考え、キーワード
情報社会の問題解決	問題を発見・解決する方法 情報社会における個人の果たす責任と役割 情報技術が果たす役割と望ましい情報社会の構築	コミュニケーション／情報メディアの特性／著作権法、不正アクセス禁止法、個人情報保護法／情報セキュリティ／Word、PowerPoint、Excelの利用／ガントチャート／MECE、ロジックツリー
コミュニケーションと情報デザイン	メディアの特性とコミュニケーション手段 情報デザイン 効果的なコミュニケーション	SNSメディアの特性／2進数での表現／文字、文字コード、音、色、画像、動画のデジタル表現／デジタル化とデータ量／情報デザイン、ユニバーサルデザイン／ポスター、Web制作／ユーザビリティ、アクセシビリティ
コンピュータとプログラミング	コンピュータの仕組み アルゴリズムとプログラミング モデル化とシミュレーション	2進数での計算、論理回路／CPU、メモリ、入出力装置／浮動小数の2進数表記／フローチャート、アクティビティ図／関数、データ構造、配列／乱数、待ち行列
情報通信ネットワークとデータの活用	情報通信ネットワークの仕組みと役割 情報システムとデータの管理 データの収集・整理・分析	ハブ、ルーター、LAN、WAN、ISP／通信方式、Wifi／IPアドレス、DNS、OSI参照モデル／情報セキュリティ、機密性、完全性、可用性、認証、ソフトウェアアップデート／暗号化、共通鍵暗号、公開鍵暗号／電子署名、SSL/TLSとブラウザ連携／インターネットバンキング、POSシステム、IoT／RDBMS、アクセス制御、NoSQL／データサイエンス、データ分析、箱ひげ図、相関、統計的検定

【情報編】高等学校学習指導要領（平成30年告示）解説より筆者作成
https://www.mext.go.jp/content/000166115.pdf

特筆すべき技術、考え、キーワードを見て、どう思いましたか？　おそらくは「なんて難しいことをやっているんだ」という反応が大半なのではないかと思います。情報Ⅰの特徴は、ただ単にIT技術を学ぶのではなく、他の科目が取りこぼしている「社会」や「法・倫理」といったものまで取り扱っていることにあります。

　これが現在の高校生が学んでいることなのです。いまの高校生が大学で学び社会に出てくるのは2029年ごろです。このころの大卒の新入社員は、ほぼ全員が独立行政法人情報処理推進機構（IPA）が実施する国家試験・ITパスポートと同等程度のITスキルを身に着けていると考えても差し支えはないでしょう。

　とはいえこれは「ちゃんと勉強してきて、なおかつ手を動かしてきた学生は」という但し書きがつきます。「高校の英語の教科書をちゃんとやればTOEICで900点は余裕」と言うのとあまり変わりません。過度に不安を煽るわけではないですが、高校生の上位層が漫然と生きてきた社会人のITスキルを上回るというのは当たり前にあり得る未来です。

ITパスポートと情報Iの関係性

　高校生はITパスポートと同程度の能力を手に入れるとお話ししました。これは半分正しく、半分間違っています。なぜかというと、ITパスポートのシラバスが、情報Iに合わせて「ITパスポートシラバス Ver6.0」に改訂されたからです。そして、改訂されたシラバスは2022年4月（情報I必修化と同タイミング）の試験から適用されるようになりました。シラバスの改訂理由について、運営元のIPAは次のように述べています。

学校教育では、新学習指導要領 において、社会生活において必要不可欠となりつつある情報活用能力を、言語能力、問題発見・解決能力等と同様、学習の基盤となる資質・能力として教科横断的に育成する旨が明記され、小・中・高等学校を通じてプログラミング教育が段階的に実施されています。特に、高等学校においては、令和4年度から、全ての生徒が必ず履修する科目（共通必履修科目）として「情報I」を新設して、生徒の卒業後の進路を問わず、情報の科学的な理解に裏打ちされたプログラミング的思考力や情報モラル等、情報活用能力を育む教育を一層充実していくこととなっています。

また、政府の「AI戦略2021」（令和3年6月11日統合イノベーション戦略推進会議決定）においても、高等学校の共通必履修科目「情報I」の新設を踏まえ、ITパスポート試験の出題の見直しを実施し、高等学校等における活用を促すことが示されています。

このような状況を踏まえ、高等学校学習指導要領「情報I」に基づいて、iパスの出題範囲、シラバス等の見直しを実施し、プログラミング的思考力等の出題を追加することとしました。具体的な見直しの内容は以下のとおりです。

(1)「期待する技術水準」
高等学校の共通必履修科目「情報I」に基づいた内容（プログラミング的思考力、情報デザイン、データ利活用 等）を追加しました。

(2)「出題範囲」及び「シラバス」
高等学校の共通必履修科目「情報I」に基づいた内容（プログラミング的思

考力、情報デザイン、データ利活用 等）に関連する項目・用語例を追加しました。なお、情報モラル（情報倫理）については、前回の改訂（「IT パスポート試験 シラバス」Ver.5.0）で先行して追加しています。

（3）出題内容

プログラミング的思考力を問う擬似言語を用いた出題を追加します。また、情報デザイン、データ利活用のための技術、考え方を問う出題を強化します。なお、試験時間、出題数、採点方式及び合格基準に変更はありません。

擬似言語を用いた出題については、擬似言語の記述形式及びサンプル問題も公開しました。

IT パスポート試験における出題範囲・シラバスの一部改訂について（高等学校情報科「情報Ⅰ」への対応など）より引用

https://www.ipa.go.jp/shiken/syllabus/henkou/2021/20211008.html

IPA の記事にもあるように、IT パスポートの出題範囲は情報Ⅰの内容を付け加える形で拡張されました。それでは実際に IT パスポートのシラバスを眺めてみて、これが情報Ⅰとどれくらい被っているかを見てみましょう。IT パスポートは、ストラテジー、マネジメント、テクノロジーの 3 分野からなります（○、△は筆者の独自判断で付けています）。

ストラテジー

大分類	中分類	小分類	情報Ⅰでカバー
企業と法務	企業活動	経営・組織論	
		業務分析・データ利活用	○
		会計・財務	
	法務	知的財産権	△
		セキュリティ関連法規	○
		労働関連・取引関連法規	
		その他法律・ガイドライン、情報倫理	△
		標準化関連	△
経営戦略	経営戦略マネジメント	経営戦略手法	

		マーケティング	
	経営戦略マネジメント	ビジネス戦略と目標・評価	△
		経営管理システム	
経営戦略	技術戦略マネジメント	技術開発戦略の立案・技術開発計画	
		ビジネスシステム	
	ビジネスインダストリ	エンジニアリングシステム	
		IoT システム・組み込みシステム	△
		情報システム戦略	
	システム戦略	業務プロセス	
		ソリューションビジネス	
システム戦略		システム活用促進・評価	
		システム化計画	
	システム企画	要件定義	
		調達計画・実施	

マネジメント

大分類	中分類	小分類	情報Iでカバー
開発技術	システム開発技術	システム開発技術	
	ソフトウェア管理技術	開発プロセス・手法	
プロジェクトマネジメント	プロジェクトマネジメント	プロジェクトマネジメント	△
		サービスマネジメント	
	サービスマネジメント	サービスマネジメントシステム	
サービスマネジメント		ファシリティマネジメント	
	システム監査	システム監査	
		内部統制	

テクノロジー

大分類	中分類	小分類	情報Iで カバー
基礎理論	基礎理論	離散数学	△
		応用数学	○
		情報に関する理論	△
	アルゴリズムと プログラミング	データ構造	△
		アルゴリズムとプログラミング	△
		プログラミング言語	△
		その他の言語（HTML、JSON等）	△
コンピュータ システム	コンピュータ構成要素	プロセッサ	△
		メモリ	△
		入出力デバイス	
	システム構成要素	システム構成	
		システムの評価指標	
	ソフトウェア	オペレーティングシステム	
		ファイルシステム	△
		オフィスツール	○
		オープンソースソフトウェア	
	ハードウェア	ハードウェア（コンピュータ・入出力装置）	
技術要素	情報デザイン	情報デザイン	○
		インターフェース設計	△
	情報メディア	マルチメディア技術	△
		マルチメディア応用	△
	データベース	データベース方式	△
		データベース設計	
		データ操作	
		トランザクション処理	
	ネットワーク	ネットワーク方式	△
		通信プロトコル	△
		ネットワーク応用	△
	セキュリティ	情報セキュリティ	△
		情報セキュリティ管理	
		情報セキュリティ対策・情報セキュリティ実装技術	

ITパスポートの出題範囲における、情報Ⅰのカバー範囲を見てみると、ストラテジーは1/3程度、マネジメントはほぼゼロ、テクノロジーは1/2程度がカバーされています。

　ストラテジーとマネジメントは、文章をよく読めば理解できる問題であったり、知識問題であったりします。一方でテクノロジーは手を動かしてプログラミングを学んだ経験が無いとなかなか答えられないモノになっています。そのため、情報Ⅰを学んだ高校生たちは、ITパスポートの一番難しい関門を半分クリアしていることになるのです。

情報Ⅰの試作問題解説
（クレープ販売のシミュレーション）

　それでは、情報Ⅰの試作試験では、どのような問題が取り扱われたのでしょうか？　大問2B（配点15点）を実際に解いてみましょう。

　B　次の文章を読み，後の問い（問1〜3）に答えよ。

　　Mさんのクラスでは，文化祭の期間中2日間の日程でクレープを販売することにした。1日目は，慣れないこともあり，客を待たせることが多かった。そこで，1日目が終わったところで，調理の手順を見直すなど改善した場合に，どのように待ち状況が変化するかシミュレーションすることにした。なお，このお店では同時に一人の客しか対応できないとし，客が注文できるクレープは一枚のみと考える。また，注文は前の客に商品を渡してから次の注文を聞くとして考える。

　問1　次の文章および表中の空欄　ケ　〜　シ　に当てはまる数字をマークせよ。

　　まず，Mさんは，1日目の記録を分析したところ，注文から商品を渡すまでの**一人の客への対応時間に約4分を要している**ことが分かった。
　　次に，クラスの記録係が1日目の来客時刻を記録していたので，最初の50人の客の到着間隔を調べたところ，表1の人数のようになった。この人数から相対度数を求め，その累積相対度数を確率とみなして考えてみた。また，到着間隔は一定の範囲をもとに集計しているため，各範囲に対して階級値で考えることにした。

表1　到着間隔と人数

到着間隔（秒）	人数	階級値	相対度数	累積相対度数
0 以上〜 30 未満	6	0 分	0.12	0.12
30 以上〜 90 未満	7	1 分	0.14	0.26
90 以上〜150 未満	8	2 分	0.16	0.42
150 以上〜210 未満	11	3 分	0.22	0.64
210 以上〜270 未満	9	4 分	0.18	0.82
270 以上〜330 未満	4	5 分	0.08	0.90
330 以上〜390 未満	2	6 分	0.04	0.94
390 以上〜450 未満	0	7 分	0.00	0.94
450 以上〜510 未満	1	8 分	0.02	0.96
510 以上〜570 未満	2	9 分	0.04	1.00
570 以上	0	－	－	－

そして，表計算ソフトウェアで生成させた乱数（0以上1未満の数値が同じ確率で出現する一様乱数）を用いて試しに最初の10人の到着間隔を，この表1をもとに導き出したところ，次の表2のようになった。ここでの到着間隔は表1の階級値をもとにしている。なお，1人目は到着間隔0分とした。

表2　乱数から導き出した到着間隔

	生成させた乱数	到着間隔
1人目	－	0分
2人目	0.31	2分
3人目	0.66	4分
4人目	0.41	2分
5人目	0.11	0分
6人目	0.63	3分
7人目	0.43	3分
8人目	0.28	2分
9人目	0.55	3分
10人目	0.95	ケ 分

表2の結果から10人の客の待ち状況が分かるように，次の図1のように表してみることにした（図1は6人目まで記入）。ここで，待ち時間とは，並び始めてから直前の人の対応時間が終わるまでの時間であり，対応時間中の客は待っている人数に入れないとする。このとき，最も待ち人数が多いときは コ 人であり（これを最大待ち人数という），客の中で最も待ち時間が長いのは サ シ 分であった。

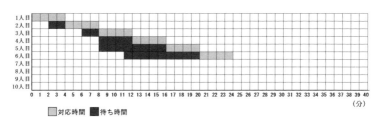

対応時間　待ち時間

図1　シミュレーション結果（作成途中）

　この文化祭におけるクレープ屋の問題は、なかなかにハードです。これは待ち行列理論とよばれる応用数学の問題であり、大学の専門教育で学ぶような内容です（筆者は大学院の共通科目で学びました）。それを高校生の共通試験でぶっつけ本番で解かせるのです。そして待ち行列理論を数学的に解くのではなく、コンピュータシミュレーションで解かせるのです。これは驚愕としか言いようがありません。

この問題は数学Ⅰの「データの分析」で度数分布表やヒストグラムを学んでいることが前提となります。できれば数学Bで「確率分布」などを学んでいると解きやすくなります。

　本書を読んでいる人の中には、度数分布表やヒストグラム、確率分布などを、高校で学んだ記憶がないという人も多いでしょう。これは2009年の指導要領の改訂から数学Ⅰにデータの分析が追加され、確率分布や統計処理が数学Cから数学Bに移動したためです。今の高校生は指導要領の改訂でビジネスに直結しやすいデータ分析や確率統計を、昔と比べて多く学んできているのです。

　前置きが長くなりましたが、まずは「ケ」を埋めていきます。そのためには表1と表2を理解する必要があります。表1はあるお客さんが来てから、次のお客さんが来るまでに何秒かかった、というものを集計したものです。表2はシミュレーションを行うために作り出された乱数であり、0以上1未満の一様分布の乱数を、表1を利用して現実に即した乱数に変換して作り出されています。

　この問題を解くには、一様分布と累積相対度数を利用して、現実に即した乱数をどのように生成するか、を理解している必要がありますが、表1と表2を眺めて類推することでも解くことができます。それでは類推して解いていきましょう。

　まずは、表2の2人目のデータを見てみましょう。生成させた乱数は0.31であり、この値が2分に変換されています。表1の1分のところは累積相対度数が0.26、2分のところは0.42となっています。つまりこれは、0.31は0.26以上、0.42未満であるため、2分に変換されたということです。

　したがって、「ケ」は0.95は7分の0.94以上であり、8分の0.96未満であるため、8分というのが答えになります。

　続いて作図の問題に移っていきましょう。この問題では、前の客が列に並んでから、何分後に次の客が列に並ぶのかを表2から読み取り、作図することが求められます。まずは何分後に並ぶのかを図1の上に書いていきましょう。到着したタイミングを表1に従い●で埋めていきます。

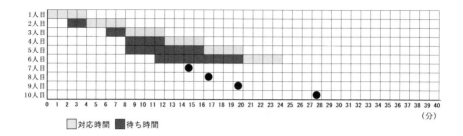

続いて、到着したタイミングから待ち時間の線を横に伸ばしていき、前の人の対応が終わったら、次の人の対応をはじめるというのを、図に書いていきます。すると次のような図になります。

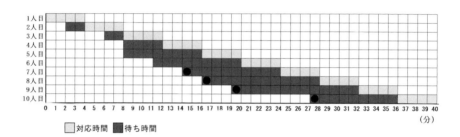

この図を作図することで、「コ（待ち人数）」と「サシ（最大待ち時間）」に答えらえるようになります。待ち人数はこの図を縦方向に読み取っていきます。待ち時間を示す濃い黒は、縦方向で最大で4マス連続します（19分の時点）。そのため今回のシミュレーションでは最大で4人が列に並んでいたということがわかります。

また、横方向で読み取ると、4人目の待ち時間は4分、5人目は8分、6人目は9分、7人目は10分、8人目は12分、9人目は13分、10人目は9分、とわかります。したがって最大待ち時間は13分となります。クレープを1つ買うのに13分も待たされたら、お客さんは怒って帰ってしまうでしょう。

それでは、問題の続きを読んでいきましょう。問2ではシミュレーションの人数を変えて、なおかつ何回もシミュレーションを行った際の最大待ち人数の分布を求めたものです。これはコンピュータの特性を活かした良いアプローチです。

問2　図1の結果は，客が10人のときであったので，Mさんは，もっと多くの客が来た場合の待ち状況がどのようになるか知りたいと考えた。そこでMさんは，客が10人，20人，30人，40人来客した場合のシミュレーションをそれぞれ100回ずつ行ってみた。次の図2は，それぞれ100回のシミュレーションでの最大待ち人数の頻度を表したものである。

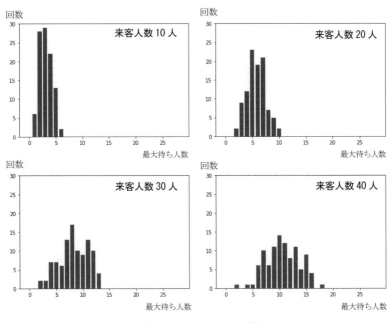

図2　シミュレーション結果

この例の場合において，シミュレーション結果から**読み取れない**ことを次の⓪〜③のうちから一つ選べ。　ス

⓪　来客人数が多くなるほど，最大待ち人数が多くなる傾向がある。
①　最大待ち人数の分布は，来客人数の半数以下に収まっている。
②　最大待ち人数は，来客人数の1/4前後の人数の頻度が高くなっている。
③　来客人数が多くなるほど，最大待ち人数の散らばりが大きくなっている。

問1では人手でシミュレーションを行いました。これは作図を含めてある種の単純作業ですが、人手では恐ろしく時間がかかります。そしてたった1回のシミュレーションで何らかの決断を下すには情報が足りません。偶然、特異な結果が得られただけなのかもしれません。そのため、コンピュータを利用してこのようなシミュレーションを何度も回して、シミュレーション結果がどのようにバラつくのかを調べるのです。

　次に問2を解いていきましょう。

　⓪はグラフの分布から最大値を読み取っていきます。来客人数が10人のときは最大待ち人数の最大値は6人、20人のときは10人、30人のときは13人、40人のときは18人なので、これは正しそうです。

　①は⓪と同様に分布の最大値を読み取っていきます。来客人数が10人のときに、最大待ち人数の最大は6人なので、「来客人数の半数以下に収まっている」というのは正しくありません。

　②は最頻値で考えます。来客人数が10人のときは3人、20人のときは5人、30人のときは8人、40人のときは10人。「来客人数が1/4前後の人数の頻度が高くなっている」というのは正しそうです。

　③を厳密に考えるには標準偏差や分散で考えるべきですが、それらを求めるには時間が無いので、グラフ形状から判断しましょう。最大待ち人数の最小値と最大値を見て、そこから判断しましょう。来客人数が10人の時は最小値1人と最大値6人、20人のときは2人と10人、30人のときは2人と13人、40人のときは2人と18人。来客人数が増えるにつれて、最大待ち人数の最小値と最大値の差が大きくなっているので、これは正しそうです。また、簡易的に求めるのであれば最頻値の値が小さくなっているというのでもこの問題は判断可能です。

　以上から「ス」は①ということがわかります。

次は問3です。

問3 1日目の午前中の来客人数は 39 人で，記録によれば一番長く列ができたときで 10 人の待ちがあったことから，Mさんは，図2の「来客人数 40 人」の結果が1日目の午前中の状況をおおよそ再現していると考えた。そこで，調理の手順を見直すことで一人の客への対応時間を4分から3分に短縮できたら，図2の「来客人数 40 人」の結果がどのように変化するか同じ乱数列を用いて試してみた。その結果を表すグラフとして最も適当なものを，次の ⓪ ～ ③ のうちから一つ選べ。 セ

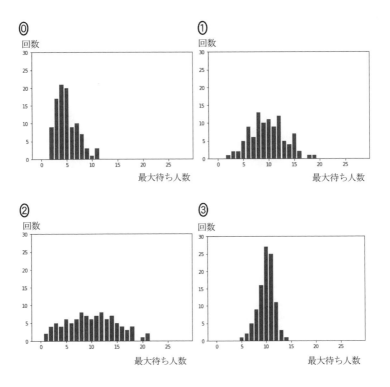

　この問題のミソは「同じ乱数列を用いて」というところにあります。コンピュータでは擬似乱数という仕組みが利用されます。擬似乱数とは複雑な数式を用いて乱数を生成する手法で，初期設定が同一であれば，何度繰り返してもまったく同じ乱数列を返すというものです。つまりこの問題では、提供時間のパラメータを変えたとしても、来客タイミングは全く変わらないという前提の下でシミュレーションが行われたということです。

擬似乱数については、本書のスコープ外なので解説はしませんが、興味がある人は「線形合同法」や「メルセンヌ・ツイスタ」や「Xorshift」「PCG」といったキーワードで検索してみてください。

　素早く提供できるようになったら、どうなるかという問題です。普通に考えると素早く提供できるようになれば、行列は速く捌けるので、最大待ち人数は減るはずです。従って最大待ち人数の最大値は小さくなり、最頻値や中央値も小さくなるはずです。つまり、分布全体が左側に圧縮されるはずなのです。

　図2の来客人数40人のときにおける最大待ち人数の最大値は18人です。同じ乱数列を用いているので来客するタイミングは全く同じです。従って、提供時間が短くなった場合、最大待ち人数の最大はこれよりも少なくなることはあっても、大きくなることはあり得ません。最大待ち人数の最大値は⓪は11人、①は19人、②は21人、③は14人です。従って①と②は選択肢から排除されます。続いて最頻値を見てみましょう。図2の来客人数40人のときにおける最大待ち人数の最頻値は10人です。⓪は4人、①は8人、②は8人と12人、③は10人です。従って最頻値が小さくなっているのは⓪①②です。

　以上から「セ」は⓪が正解になります。

　大問2Bの解説は以上になります。情報Iの試験時間は60分です。全ての問題に完答するのであれば、この問題にかけられる時間は10分程度です。どうでしょうか？　あなたは10分以内にこの問題の答えを書けるでしょうか？これが現代の高校生が学んでいる内容なのです。

　余談ですが、今回の待ち行列の問題は、待ち行列理論として学問化されており、どれくらいの来訪者に対して、どれくらいの設備があれば、十分に捌けるのかを予測するものです。たとえば、電話の交換機の必要台数の設計や、銀行におけるATMの台数、スーパーのレジを何台にするべきなのか、駅のトイレの必要基数の計算など、社会のさまざまな場所で使われています。

情報 I による新しい「読み・書き・そろばん」

　試作問題の解説を通じて、どのような教育を受けた人材が社会に供給されようとしているのかの一端を理解していただけたのではないでしょうか。2025年には国公立大学を受験する学生は、このような問題を解くことになるのです。そして、2029年には高校で情報 I を学んだ学生が大学から社会へと供給されはじめます。

　2029年には、国公立大学出身の新入社員は理系文系を問わず、IT パスポート相当の IT スキルを当たり前に身に着けていることになります。私立大学出身者も国立大学出身者と引けを取らないよう、IT パスポートの取得を目指していくことになるでしょう。

　したがって、2030年ごろには、IT パスポートを持っていない既存社員は、新入社員と歩調を合わせて働くことが困難になると考えられます。昨今、全社員に IT パスポートを取得することを推奨や義務づけている企業が増えている背景の1つがこれだと考えられます。

　新入社員も既存社員も IT パスポートを持っていて当たり前になる。こういったことが2030年には起こってくるのです。つまり、情報 I によって IT パスポートが新しい「読み・書き・そろばん」の基準になるのです。

　詳しくは次節で述べますが、現代社会はありとあらゆる場所にコンピュータとソフトウェアが普及しています。その結果、現代の業務改善とはいかにソフトウェアの設計・開発・運用・改修を行うかと同義になりました。

　つまり、ソフトウェアの設計・開発・運用・改修を実際に行うプログラマーやシステムエンジニア（SE）と会話できなくては、業務改善ができない時代になったのです。IT パスポートはプログラマーや SE と会話するための現代のリンガ・フランカ（共通言語）なのです。

　工場で働いている労働者は、自分たちの仕事を改善するために、自ら治具を作ります。これと同じように、ホワイトカラーも自らの仕事の改善のために、ソフトウェアでできた治具を作らなくてはならないのです。

勉強は無知の知を手に入れる

ITパスポートは受験者の大半が社会人です。そして、非技術職でも取得できるようにストラテジーやマネジメントの比重が大きくなっています。それにもかかわらず、合格率は毎回50%前後と低い傾向にあります。

学習書としては本末転倒な意見かもしれませんが、学習書を読んでも理解できなかったり、資格に挑んで取得できなかったりしても、それでもよいと考えています。なぜなら「無知の知」を獲得できたからです。自分は何がわからないのかが明確化できたのです。

わからないこと、できないことは恥ではありません。企業がITパスポートの取得を全社員に課すのは、資格取得できなかったとしても、取れなかったことを自覚してどのように動くべきなのか、を考えることを求めるためです。

「自分はITが苦手であり、自分以外にITに詳しい人がいる」ということを知ることができたのであれば、IT関連の業務においては誰を信頼するべきなのか、誰を頼るべきなのかの指針ができたことにほかなりません。人に頼れずに潰れていく人はごまんといます。人に頼れない人よりも、適切な人に頼って仕事ができる人のほうが評価されます。

IT関連技術、特にプログラミングではある種の非人間的な考え方が要求されます。例えば、全てをあらかじめ記述する。物事を分解し、分解を繰り返した結果、最終的には2つの数値の演算で全てを記述する。現実の物事の変化と、コンピュータの中の数値の変化が同じであると見立てる、などです。

人間が生来持っている、人の行動をマネする、人と仲良くなってうまくやる、感性でなんとなく柔軟にうまくやる、そういった性質とは真逆な考え方が必要なのです。それゆえに、プログラミングがわからない人が一定数で出てくることは、仕方がないことだと考えます。

あらためて書きますが、わからないことは恥ではありません。誰しも専門外のことはわからないのです。わからないということがわかったら、その上でどう動くのかを考えることが求められています。

現代の業務改善とは何か？

　ここでは「現代の業務改善」が何であるかを説明し、その重要性を理解してもらうことがゴールになります。

　しかし、注意してほしいのは、この節は、あくまでも半導体技術の進歩やソフトウェア企業の躍進を、特定の視点から説明している「ナラティブ（物語）」に過ぎません。あくまで1つの解釈、1つの視点からの説明に過ぎず、現代の業務改善の全てを網羅するものではありません。わかりやすく伝えるためにある一側面から切り取ったお話だということを念頭に入れたうえで、この節を読んでください。

コンピュータなしでは何もできない

　なぜ高校生は「情報Ⅰ」を学ばねばならないのでしょうか？　それは現代のありとあらゆるものがコンピュータを利用しているからです。試しにコンピュータを使わないで生活をすることができるかどうかを考えてみましょう。例えば次のようなものには全て集積回路やコンピュータが含まれています。

パソコン、スマートフォン、テレビ、テレビのリモコン、ICカード乗車券、エアコン、電子レンジ、洗濯機、冷蔵庫、プリンタ、コピー機、自動ドア、電卓、クォーツ時計、電車、自動車、重機、飛行機、電力計、エレベーター、エスカレーター、LED照明、etc……。

　どうでしょうか？　集積回路やコンピュータを使わないで生活することができそうでしょうか？　少なくとも、現代的なインフラを利用している限り、集

積回路やコンピュータから逃れることはできません。これは逆説的に「情報」を知らなければ、現代のビジネスが行えないことを意味しています。

　現代はコンピュータがどこにでもあるのに、コンピュータの正しい使い方をわかっている人、「情報」がわかっている人が圧倒的に不足している、という社会になってしまっているのです。これが高校教育においてプログラミングを含む「情報Ⅰ」が全員に必修化された遠因だと考えます。

コンピュータは地球人口よりも多い

　果たしてコンピュータは本当に世界中にあふれているのでしょうか？　これについては Arm 社が面白いプレスリリースを出していたので、これを紹介します。

Arm パートナーによる Arm ベースチップの出荷数は過去最高となる 80 億個を記録、累計出荷個数は 1 兆の 4 分の 1（2,500 億）に到達

https://www.arm.com/ja/company/news/2023/02/arm-announces-q3-fy22-results

---

　Arm は皆さんが使っているスマートフォンや、Nintendo Switch などで使われている CPU です。四半期につき 80 億個の出荷なので、地球人口が 80 億人だとすると 1 人あたり年間 4 個ずつのコンピュータが身の回りに増えている計算になります。

　しかもこれは Arm アーキテクチャに限定された話です。パソコンで主流の Intel や AMD の CPU は含んでいません。また、その他の組み込み用のチップなども含んではいません。

　また、コンピュータ＝パソコンではありません。パソコンの年間出荷数は 3 億台程度です。スマートフォンの出荷台数は年間で 12 億個程度です。つまり、われわれの身の回りには、パソコンやスマートフォン以外のコンピュータが搭載された製品が大量にあるのです。そしてそれらを知らず知らずのうちに使っているのです。

　日常生活をする際に、何個のコンピュータが含まれた製品を利用しているのか、と考えてみてください。10 や 20 では足りないはずです。もしかすると 100 個や 1000 個という数字になるかもしれません。それこそ自動車に乗るとそれだけで数十個のコンピュータを利用していることになります。トヨタは現在の自動車は 50 個の ECU（Electronic Control Unit）が利用されていると発表してます。現代の自動車はコンピュータの固まりが走っているのです。

全ての職業でコンピュータは使われている

　面白い統計があるので見てみましょう。数学者がさまざまな職業でどのような数学を使うのか調査した結果に基づいて書かれた『When Are We Ever Gonna Have to Use This?』という書籍があります。この書籍の中では 100 の職業中、81 の職業で「コンピュータの利用」が必要であると回答されています。

　この書籍は 1996 年に出版されていますが、元々の調査は 1986 年に行われたものです。つまり 30 年以上前であってもコンピュータの利用はほぼすべての職業で必須だったということです。ということは、よりコンピュータが普及した現代では、もっと多くの職業でコンピュータの利用は必須になっていると考えて差し支えないでしょう。

　たとえば、書籍の中では DJ が最も数学を使わない職業として挙げられていますが、現代の DJ はコンピュータを操作する職業となっています。ある曲からある曲へと綺麗に繋いでいくには、曲同士の BPM(Beats Per Minute テンポ) を一致させる必要があります。ではどうやって一致させるのか？　そのためにはコンピュータに曲を解析させ、ドラムのリズムを拾っていき、BPM を推定するのです。そして繋ぎ先の曲のドラムのタイミングを綺麗に一致させるように再生速度とタイミングを調整して繋いでいきます。これが現代の DJ が行っていることなのです。

ムーアの法則、半導体集積回路の進歩

　なぜコンピュータはここまで普及したのでしょうか？　その背景にはムーアの法則があります。ムーアの法則とは、半導体集積回路は 1 年半から 2 年で、単位面積当たりのトランジスタ数が 2 倍になるという経験則です。

　当時、フェアチャイルドセミコンダクターという半導体企業に勤めていたゴードン・ムーアが、1965 年にこの現象を報告し、のちにムーアの法則と呼ばれるようになったのです。彼は後に Intel の創業者となります。

　ムーアの法則が成立していた背景には、半導体集積回路の製造技術の向上が

あります。そもそも半導体集積回路とは何か？をざっくりと説明すると、シリコンのウェーハの上に回路を「印刷」したものです。

　そして、半導体メーカーの市場競争と技術革新の結果、「印刷」技術の向上により、より細い線を印刷できるようになり、単位面積あたりに描ける（作れる）トランジスタの数が増えたのです。

「印刷」の比喩をそのまま使って考えてみましょう。本書のような書籍は１ページに約 900 文字程度書かれています。文字の大きさはだいたい 3mm 四方程度です。では、文字の大きさが半分の 1.5mm になったら、１ページに含まれる文字数はどうなるでしょうか？　答えは４倍の 3600 文字になります。

　半導体集積回路の製造でも同じことが起こっています。集積回路の配線と配線の間の距離（≒線の太さ）をプロセスルールと呼びます。プロセスルールが半分になると、１辺に描ける線の数は２倍になり、単位面積あたりに含まれるトランジスタの数は４倍になります。1/3 になると９倍になります。

　つまり、機能が同じで良ければ、プロセスルールが半分になると、同じ回路を描くのに必要な面積は 1/4 になり、１枚のウェーハから作れる集積回路の数は４倍になるのです。同じ面積であれば４倍のトランジスタを詰め込んだ高性能な集積回路が作れるのです。

　ムーアの法則を単純に２年で２倍とすると、４年で４倍、６年で８倍、８年で 16 倍、10 年で 32 倍、20 年で 1024 倍です。この経験則に従い半導体集積回路の集積度は指数関数的に成長し、同時に指数関数的に価格下落しました。これが過去 50 年以上繰り返されたのです。そして、極めて高性能な半導体集積回路が極めて安い価格で手に入るようになったのです。

実際にどれくらい成長しているのかを見てみましょう。

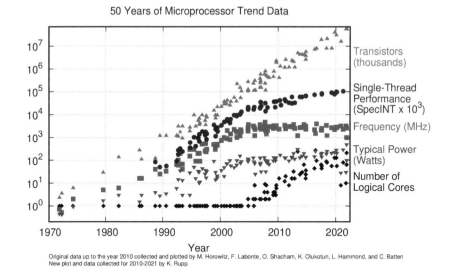

50 Years of Microprocessor Trend Data

Original data up to the year 2010 collected and plotted by M. Horowitz, F. Labonte, O. Shacham, K. Olukotun, L. Hammond, and C. Batten
New plot and data collected for 2010-2021 by K. Rupp

karlrupp 50 Years of Microprocessor Trend Data
https://github.com/karlrupp/microprocessor-trend-data

　このグラフはその年に出た x86（Intel や AMD が作っている PC 向けの CPU）の性能をプロットしたものです。縦軸が 10^n になっている片対数グラフであることに注意してください。

　トランジスタの数（Transistors）は片対数グラフの上で綺麗に直線に乗っています。すなわち指数関数的に成長しているのです。

　動作効率（Single Thread Performance）は成長が鈍化しているものの、まだジワジワと改善が続いています。

　動作周波数（Frequency）は 5 GHz 前後で頭打ちになっています。これ以上の動作周波数の向上は、シリコンの物理特性的に動作効率が悪くなっていくためです。

　消費電力（Typical Power）は 300W 程度で頭打ちになっています。これは CPU パッケージという数センチ四方から放熱できる能力に限界があるためです。現代の CPU は放熱能力がボトルネックになっていたりします。

1個の CPU パッケージに含まれるコア数（Number of Logical Cores）は年々増えていっており、最近は 10 個を超えるコアが含まれている CPU も当たり前になってきました。ちなみに、この文章を書いているパソコンは AMD Ryzen9 5950X であり、16 個のコアを搭載しています。

　このグラフや CPU メーカーの各社のロードマップを見る限り、あと 10 年程度はムーアの法則が維持されるのではないかと思っています。将来を見通すうえで、ムーアの法則による半導体集積回路の成長は、常に頭の片隅に入れておく必要があります。毎年廉価になり、毎年高性能になるコンピュータは世界を常に変化させ続けるのです。

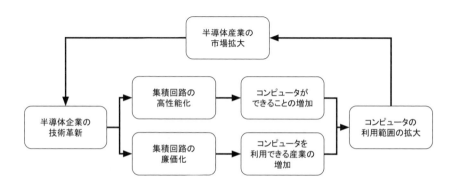

　これまでコンピュータが高価で導入できなかった場所にも、安価になったコンピュータは普及していきます。これまでできなかった複雑な仕事も、高性能になったコンピュータが解決してくれます。コンピュータの普及による社会変革はもうしばらく続いていきそうです。

安価で高性能になったコンピュータ

それでは、コンピュータは実際にどれくらい安価に、そして高性能になったのでしょうか？　いくつかの CPU を取り上げて比較してみましょう。

年	製品名	販売価格	製造プロセス	トランジスタ数	動作周波数	コア数
1971	Intel 4004	$60	10 μm	2300 個	500 kHz	1
1985	Intel i386DX	$299	1.5 μm	27.5 万個	16 MHz	1
1997	Intel Pentium II	$268	0.35 μm	2740 万個	300 MHz	1
2011	Intel Core i7 2600	$294	32 nm	11.6 億個	3.8 GHz	4
2020	AMD Ryzen9 5950X	$799	7 nm	192 億個	4.9 GHz	16

　1971 年の Intel 4004 と、2020 年の AMD Ryzen9 5950X とでは、価格差は約 13 倍ですが、インフレの影響により 1970 年の 1 ドルは、2020 年では約 7 ドルの価値に相当します。そのため、インフレ調整後の価値は大きくは変わりません。この表は同じくらいの購買力でどのような CPU が購入できたか、という読み方をしてください。

　この表の中で最も目を引くのはやはりトランジスタ数です。トランジスタ数は 50 年で 800 万倍にも成長しているのです。これが指数関数的成長の強力さです。50 年で 800 万倍に性能が向上する産業など他にないのです。

　また別の見方をすると、同じ性能で良ければコンピュータの価格は年々指数関数的に下がっていっているとも言えます。つまりこれまでコンピュータが高価で導入できなかった産業にもコンピュータは広がっているのです。これが、現代ではコンピュータを使わない職業はもはや存在しないといっても過言ではない、ということの背景となっています。

　今後、これまで考えられなかったような産業にまでコンピュータは進出していきます。その流れに備えなくてはなりません。

ソフトウェア企業の躍進

　ありとあらゆる産業にコンピュータとソフトウェアが進出した結果、世界経済のトップ企業はIT産業が占めることになりました。

　以下は、本書を書いている2023年7月20日時点での世界の時価総額ランキングです。IT企業かどうかは筆者の独断で〇を付けています。

順位	企業名	時価総額	国	IT企業
1	Apple	$3.018 T	アメリカ	〇
2	Microsoft	$2.556 T	アメリカ	〇
3	Saudi Aramco	$2.084 T	サウジアラビア	
4	Alphabet (Google)	$1.525 T	アメリカ	〇
5	Amazon	$1.333 T	アメリカ	〇
6	NVIDIA	$1.094 T	アメリカ	〇
7	Tesla	$824.13 B	アメリカ	〇
8	Berkshire Hathaway	$755.57 B	アメリカ	
9	Meta Platforms (Facebook)	$754.10 B	アメリカ	〇
10	TSMC	$504.37 B	台湾	〇
11	Visa	$501.08 B	アメリカ	〇
12	LVMH	$486.12 B	フランス	
13	UnitedHealth	$471.59 B	アメリカ	
14	JPMorgan Chase	$450.30 B	アメリカ	
15	Johnson & Johnson	$442.27 B	アメリカ	
16	Eli Lilly	$438.60 B	アメリカ	
17	Walmart	$426.46 B	アメリカ	
18	Exxon Mobil	$420.02 B	アメリカ	
19	Tencent	$404.22 B	中国	〇
20	Mastercard	$376.67 B	アメリカ	〇

https://companiesmarketcap.com/ より引用

日本で普通に暮らしているとなかなか目にする機会のない企業がいくつかあるので、それらを紹介していきましょう。

まずは 6 位の NVIDIA です。これは GPU（Graphics Processing Unit）と呼ばれる画像処理用のパソコン部品を作っている企業です。画像処理でよく使われる計算と、AI でよく使われる計算が似ているため、GPU を AI の計算で利用すると CPU と比べて何倍も効率的に動作させることができたのです。そのため、NVIDIA は AI 用チップの最大手となりました。現代の AI 開発は NVIDIA 製のチップが無くては成立しない状態になっており、AI チップはある種の戦略物資となっています。

次に 10 位の TSMC（Taiwan Semiconductor Manufacturing Company、台湾積体電路製造）は、半導体集積回路の受託生産を行っている企業です。前述の NVIDIA は実は半導体の設計と販売を行っている企業であり、製造は TSMC やサムスン電子などの外部企業に委託しています。TSMC は世界で最も進んだ製造プロセスを持っており、世界中の企業で設計された半導体を製造しています。熊本県に 2024 年稼働予定の新工場を建設しており、ニュースで耳にしたことがあるかもしれません。

19 位の Tencent は中国の総合 IT 企業です。中国で PC 用のメッセージングサービスのテンセント QQ（ICQ の独自クローン）や、WeChat（日本における LINE のポジション）を運営しています。Tencent は世界最大のゲーム会社であり、豊富な資金力を元に多くの企業を買収したり、出資したりしています。

例えば League of Legends や VALORANT を提供する Riot Games を買収し、Clash of Clan や Clash Royale を運営する Supercell を買収し、フォートナイトや UnrealEngine を開発する EpicGames の株式を取得しています。このほかにも、日本企業ではマーベラスや KADOKAWA、フロムソフトウェア、プラチナゲームズなどへ出資しています。

11 位の Visa や 20 位の Mastercard がなぜ IT 企業に含まれるのかというと、クレジットカード決済のほぼすべてが電子決済であり、毎秒数万件の決済を処理し、不正利用を見つけているからです。

8 位のバークシャーハサウェイ、14 位の JP モルガンチェースは投資銀行なので、株や債権を IT システムを通じて売り買いを行っています。そのため IT

システムが金を稼いでいる会社であり、見方によっては IT 企業であるとも言えるでしょう。

　このように世界の時価総額ランキングを眺めてみると、上位は IT 企業ばかりです。全ての産業が IT を使うようになった結果、自ら IT によってサービスを提供したり、他社に IT 基盤を提供できたりする会社が時価総額の上位になったのです。

　そして、これらの会社の特徴は、自分たちのコア業務のコードは、自ら書いているということです。「プログラミングなんて付加価値の低い仕事は外部に出せ」なんていう会社は 1 社たりともないのです。

ソフトウェア企業のアジリティとは何か？

　アジリティ（Agility）とは、「素早さ」や「身軽さ」といった言葉ですが、ビジネスの現場で使われるときには「社会環境の変化に対する企業の適応能力」という意味で使われます。

　ソフトウェア企業がここまで躍進した背景には、ソフトウェアの特徴があります。それはソフトウェアは「ソフト」なので変更しやすいことにあります。

　ソフトウェアによる業務改善とは、コンピュータの中のソフトウェアを入れ替えることによって、実現できてしまいます。高額な生産設備を購入しなくとも、業務改善はできるのです。さらには、拠点が何百カ所とあろうと、ソフトウェアの更新であれば、全ての環境に一斉に新しいやり方を適用させることができます。

　ソフトウェアはデータです。データを入れ替えるだけで、コンピュータは全く別の行動をし始めます。コンピュータの動きを変えるには、コンピュータの中のデータを少し書き換えればよいのです。すなわち、社会が環境の変化に対して、記録されているデータを書き換えるだけで対応できるのです。

　ソフトウェア企業のアジリティとは、ソフトウェアの開発・改修によって、素早く低コストに業務改善が行えることにあるのです。これがソフトウェア企業の競争力の源泉になっています。

情報 I は「現代のアジリティ」を確保する

　前述のように、全ての産業でコンピュータが利用されるようになった結果、多くの職業・業務がソフトウェアによって代替されていきました。そして、現代の業務改善は、いまある仕事をソフトウェアに置き換えることや、すでに動いているソフトウェアの設定変更や改修と同義になりました。現代のアジリティとはソフトウェアの設計・開発・改修になったのです。

　実際にソフトウェアを設計したり開発、改修したりするのは、IT技術者です。つまり、IT技術者と会話し、要件定義を行い、指示をしなくては業務改善が行えません。逆を言うと、ITスキルを持っておらず、IT技術者と話をすることができない社員は、業務改善が行えないのと同然の時代になったのです。

　新規事業ではなおさらです。新規事業はまっさらな状態だからこそ、過去のしがらみなく事業のソフトウェア化が行えるため、率先してソフトウェア化を行い、競争力を獲得しなくてはならないのです。ITスキルが無い人が新規事業を行うことは無謀としか言いようがありません。

　これが情報Iが必修科目となった理由だと考えます。プログラマーになるためにプログラミングを学ぶのではないのです。プログラマーと話をするためにプログラミングを学ぶのです。これが現代の業務改善であり、アジリティの源泉だからなのです。

　情報IやITパスポートは、現代のリンガ・フランカ（共通語）です。英語が使えなければ国際的なビジネスを行うのが困難なように、ITの言葉を使えなければIT技術者たちと効率的なコミュニケーションを行うことができず、業務改善ができないのです。

DX の全容、日本企業の アジリティとは?

　前項までで、ソフトウェア企業のアジリティとは何かという話をしてきました。それでは、日本企業はこれまでどうやってアジリティを得ていたのでしょうか?　また、昨今話題の DX とは何なのでしょうか?　本節では、DX をアジリティの観点から解説することで、何から何に変化 (Transformation) するのか、を解説していきます。

日本企業のアジリティ、日本企業の強みは 何だったのか?

　日本では「日本型メンバーシップ雇用」という雇用形態が長らく続けられてきました。これはスキルを持たない新卒を安い給与で雇用し、どのような業務に就くかは規定せず、社内での人事異動を通じて育成し、企業のコア要員として育成していくという働き方です。

　日本型メンバーシップ雇用は、企業は極めて強い人事異動権を持っている反面、解雇権は厳しく制限されているのが特徴です。たとえば、厚労省が公開している就業規則のサンプルを見てみましょう。

　●会社は、業務上必要がある場合に、労働者に対して就業する場所及び従事する業務の変更を命ずることがある。
　●会社は、業務上必要がある場合に、労働者を在籍のまま関係会社へ出向させることがある。

●前２項の場合、労働者は正当な理由なくこれを拒むことはできない。

https://www.mhlw.go.jp/stf/seisakunitsuite/bunya/koyou_roudou/
roudoukijun/zigyonushi/model/index.html より引用

厚労省が公開している就業規則のサンプルなので、これが日本企業の標準的な働き方だと考えて差し支えはないでしょう。大企業に勤めた経験がある人はわかるかと思いますが、大企業では「来月から隣県に３年間行って、別の仕事をしてきてくれ」なんてことはよくある話です。

人事異動にはいくつかの側面があります。１つは人材育成です。複数の現場を通じて、業務の上流から下流の経験をすることで、業務全体に対する全体感を獲得するといったことが挙げられます。

もう１つは人事異動による課題の解決です。特定の部署で人手が足りていない、新しい工場を建設した、新規事業を作った、人員過多で赤字続き、こういった問題に対して人事異動を繰り返すことで課題を解決していきます。このほかにも、パワハラ上司が左遷で居なくなったり、現職に疲れてしまった人が別部署への異動を申し出たりするのも、人事異動による課題の解決の一種です。

つまり、日本企業の強みとは、人事異動による人材育成と、人事異動による課題の解決にあります。すなわち、日本企業は人事異動を通じてアジリティを獲得しているのです。

日本は災害が多い国でもあります。いつ何時どこの地域が地震や台風に襲われるかわかりません。そういった状況であっても、社内に人事異動を繰り返した人員がいることで、たとえ被災したとしても、現場の人員を被災地に送ることで短期間で事業継続を行うことができます。事業継続計画（BCP：Business Continuity Plan）の観点からも人事異動による人材育成は極めて有効です。

このような労働環境がなぜ成立していったのかについては、詳しくは濱口桂一郎『日本の雇用と労働法』（日経 BP マーケティング）などを参考にしてください。本書では取り上げませんが、男女雇用機会均等法によって、男性採用と女性採用が、総合職と一般職に名前替えされ、人事異動を許容する総合職と、ノンコア業務を担う一般職という概念が成立したなど、大変面白い内容になっています。

DX とはアジリティの源泉の変化

「DX とは何か」というのを一言でいうなれば、アジリティの源泉の変化です。以下は経済産業省による DX の定義です。

＜参考：「DX 推進指標」における「DX」の定義＞
「企業がビジネス環境の激しい変化に対応し、データとデジタル技術を活用して、顧客や社会のニーズを基に、製品やサービス、ビジネスモデルを変革するとともに、業務そのものや、組織、プロセス、企業文化・風土を変革し、競争上の優位性を確立すること」

経産省は 2019 年以降、DX をこのように定義しています。この定義をかんたんに要約するなら「デジタル技術（ソフトウェア）でアジリティを獲得しましょう」です（ちなみにそれ以前は別の定義でした、これについては後述します）。

つまり前述の「日本企業は人事異動でアジリティを獲得していた」という話と組み合わせると、すなわち DX とは「アジリティの源泉が、人事異動からソフトウェアへと変化した」となるのです。

経産省の DX の定義は、DX が達成された後の世界の話なので、何から何に変化（Transformation）させたのかがわかりません。DX 前の世界がどういうものだったのかを考えることで、DX 後の世界との間のギャップを描くことができます。そのため、ここから先は日本企業がどういう状態にあったのか考えていきましょう。

なぜ日本企業は変化しなくてはならないのでしょうか？　これまでのやり方がうまくいっていたのであれば、DX なんてしなくてもいいはずです。

日本企業のアジリティの機能不全

　日本企業の人事異動によるアジリティは、情報化の進展によって機能不全が発生していると考えられます。ローテーション人事によって社内をぐるぐると移動して、社員の成長を促すといってもそこで学べるのは「既に社内にある技術」です。IT技術をその会社が持っていないとしたら、いくら人事異動による育成をしたところで、IT技術を学ぶことはできません。

　また、人事異動による人材育成が常態化すると、人事異動してきた人でも業務が回るように、専門スキルが必要ないように業務設計が行われます。そのため、高い専門スキルが必要な仕事は外部企業に発注され、社員はその指示のみを行うという状態になっていくのです。本来であれば、「さまざまな部署を巡って複数の専門性を身に着ける」ことを目的としていたはずが、いつしか「外注管理スキルを身に着ければ、どこの部署でも働けるようになる」というように変質してしまったのです。

　新卒採用の基準も変わってきます。正社員はいつどこの部署に飛ばされるのかわからないわけです。採用基準は何らかの高い専門性ではなく、新しい現場の人や取引先の人とすぐに仲良くなり、業務の暗黙知を素早く獲得し、仕事ができるようになるコミュニケーション能力が要求されるようになります。多くの企業が「コミュ力のある学生が欲しい」と言っていますが、これは「人事異動してもうまくやっていける社員が欲しい」という意味になります。

　こうして、高い専門性が必要なソフトウェアの設計・開発・改修は外部企業に委託されることになりました。外部企業に委託する際には、複数のSI（システムインテグレーション）会社から見積書を取り、競争させコストカットも可能です。しかし、失われた20年と呼ばれる平成不況において、コスト部門とされてきた社内IT部門は、業者を叩いて値下げを引き出すことが仕事になってしまいました。外部にITの提案を丸投げしていると、SI会社は他社で実績のあるものしか持ってこなくなります。その時点で提案書は時代遅れです。

　そして日本企業は業務改善の主導権を失ってしまいました。なぜなら現代の業務改善とはソフトウェアの設計・開発・改修だからです。これが日本企業がDXを推進しなくてはいけない背景なのです。

DX という概念の広まり

そもそもの DX とは、2004 年にスウェーデンのエリック・ストルターマン教授が発表した論文「Information Technology and the Good Life」で提唱された概念です。その論文の中では「デジタルトランスフォーメーションとは人々の生活のあらゆる側面に、デジタル技術が引き起こしたり、影響を与える変化のことである（The digital transformation can be understood as the changes that the digital technology causes or influences in all aspects of human life.)」と定義されています。

この論文の中では「情報技術と現実世界の融合、情報化されたデバイスによるモノ同士のコミュニケーションが行われるようになる」といった概念が紹介されています。これは現代でいう IoT や、Society 5.0（4 章で説明）の考え方です。

この論文は 2004 年に書かれたものであることに注意してください。Facebook の一般開放は 2006 年です。Twitter も同年に公開されました。初代 iPhone が登場したのは 2007 年です。DX とは、現在主流のソーシャルメディアやスマートフォンがなかった時代に作られた言葉なのです。そのため、DX の概念は IT 技術の発達とともに常に変化し続けました。

2004 年当時は抽象的であった DX の概念はのちにさまざまな概念と融合していきました。海外ではリーンスタートアップやデザイン思考といったデジタルプロダクトの設計論や、クラウド、ビッグデータ、AI、IoT、モバイル、ソーシャル等の先端技術をいかに既存事業に取り込んでいくかという事業変革、イノベーション論と結びつきディスラプション（破壊的変革）を想定した経営論にまでなっています。

一方で日本では、経産省が 2018 年に出した「DX レポート 2025 年の崖」という報告書がキッカケで DX の概念が一気に広まりました。これが少々曲者で、日本では海外とは違った DX の理解となってしまったのです。

ディスラプション（破壊的変革）

　前述のディスラプション（破壊的変革）は少々わかりにくい概念なので、事例を1つご紹介しましょう。次の画像はいずれも東京証券取引所です。上は1960年代、下は2023年（写真：時事）です。

　東証における株取引は、多くの証券マンが東証にすし詰めになった上で、ハンドサインで株の売買を行っていました。それが現代ではコンピュータの数字のやり取りだけで行われるようになったのです。

　これは、破壊的変革、ディスラプションとしか言いようがない現象です。コンピュータの登場により、ビジネスそのもののあり方が変化し、雇用のあり方すらも変えてしまうのです。わかりやすい写真として証券取引所を紹介していますが、さまざまな業種で破壊的変革は起こっています。

DX レポートの誤読

　日本では、2018 年 9 月に経済産業省が発表した「DX レポート〜 IT システム『2025 年の崖』の克服と DX の本格的な展開」という報告書がキッカケで DX の概念が広まりました。とてもよくできている資料です。DX を行うためのハードルが主に記載されており、老朽化した既存システムの課題、企業内の IT 人材の不足、SI 企業への依存などが主に取り上げられていました。そして、このまま行くと 2025 年には大きな経済損失が発生する、という警鐘を鳴らしたものになっていました。

　しかし、よくできているがゆえに、この資料を読んだ人の多くは、書かれていることが DX の全てだと勘違いしてしまいました。その結果、「DX ＝レガシーシステム（時代遅れのコンピュータシステム）の刷新」など、誤った解釈をしてしまいました。

　本来、日本企業がなぜ DX をしなくてはならないのかというのを理解するためには、前述のような日本企業のアジリティの源泉は何なのか？　日本企業はどのような雇用形態になっており、それがどのような問題を産んでいるのか？といったことを考えなければならないのですが、「2025 年の崖」にはそれらが含まれていなかったのです。

　また、DX 後の組織の話も書かれていませんでした。そのため、「2025 年の崖」は、日本型メンバーシップ雇用という日本固有の問題と、どのような組織やプロダクトを作っていくべきかのゴールが書かれておらず、DX の途中にあるハードルだけが強調して書かれた資料になっていたのです。

　加えて、「2025 年の崖」の全文を読んだ人がほとんどいないのも問題でした。原文は 50 ページもの文章で、読むだけで数時間かかってしまいます。多くの人はパワーポイントで作られたサマリー版を読んでいたのです。

2025年の崖

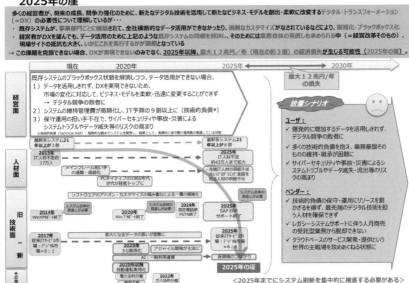

DX実現シナリオ

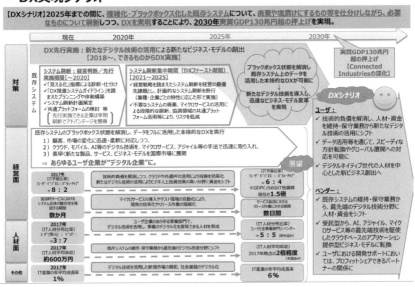

https://www.meti.go.jp/shingikai/mono_info_service/digital_transformation/pdf/20180907_01.pdf
DXレポート 2025年の崖サマリー版より引用

このスライドはDXをするためには何が障害なのか、ということが書かれているのですが、ごちゃごちゃしすぎていて、この課題を解決すればDXが達成できるというように勘違いしても仕方がありません。

　結果として、日本におけるDXとは「レガシーシステムの刷新」といった誤った理解になり、さらには同時期に流行っていた「働き方改革」の文脈と融合した結果「IT投資による省力化」という誤った理解になってしまったのです。デジタルを使った新しいプロダクトの開発や、そのための組織論、経営論などにはなかなか結びつかなかったのです。

　これは余談かつ邪推になりますが、なぜDXレポートに日本型メンバーシップ雇用の問題点が書かれていないのかについては、労働問題や労働法は厚生労働省の管轄であり、経済産業省は言及できないからではないかと考えています。

DX レポート 2 での反省、DX の定義の変更

　経済産業省は 2020 年 12 月「DX レポート 2」を公開しました。このレポートの冒頭では「DX レポート〜 IT システム『2025 年の崖』の克服と DX の本格的な展開」に対する反省と、DX の本質とはアジリティの獲得であることが記載されています。

2020 年 10 月時点での企業約 500 社における DX 推進への取組状況を分析した結果、実に全体の 9 割以上の企業が DX にまったく取り組めていない（DX 未着手企業）レベルか、散発的な実施に留まっている（DX 途上企業）状況であることが明らかになった。自己診断に至っていない企業が背後に数多く存在することを考えると、我が国企業全体における DX への取組は全く不十分なレベルにあると認識せざるを得ない。このことは、先般の DX レポートによるメッセージは正しく伝わっておらず、「DX ＝レガシーシステム刷新」、あるいは、現時点で競争優位性が確保できていればこれ以上の DX は不要である、等の本質ではない解釈が是となっていたとも言える。
（中略）
DX の本質とは、単にレガシーなシステムを刷新する、高度化するといったことにとどまるのではなく、事業環境の変化に迅速に適応する能力を身につけること、そしてその中で企業文化（固定観念）を変革（レガシー企業文化からの脱却）することにあると考えられる。当然ながらこうした変革は誰かに任せて達成できるものではなく、経営トップが自ら変革を主導することが必要である。
https://www.meti.go.jp/press/2020/12/20201228004/20201228004-2.pdf

---

　この反省は DX の定義の変更へと繋がっていきます。「DX レポート〜 IT システム『2025 年の崖』の克服と DX の本格的な展開」と「DX レポート 2」では、実は DX の定義がまるで違うのです。「2025 年の崖」における DX の定義は、IT 専門の調査会社 IDC Japan 株式会社のものを引用しています。

企業が外部エコシステム（顧客、市場）の破壊的な変化に対応しつつ、内部エコシステム（組織、文化、従業員）の変革を牽引しながら、第 3 のプラッ

トフォーム（クラウド、モビリティ、ビッグデータ／アナリティクス、ソーシャル技術）を利用して、新しい製品やサービス、新しいビジネス・モデルを通して、ネットとリアルの両面での顧客エクスペリエンスの変革を図ることで価値を創出し、競争上の優位性を確立すること

この定義の中で難しいのは「第3のプラットフォーム」という言葉です。第3ということは第1と第2があるはずです。これは IDC JAPAN が定義している言葉なので、その定義を引っ張ってくると、第1はメインフレーム、第2はクライアントサーバを指すようです。メインフレームは 1950 年頃から使われている業務用の高信頼システムです。クライアントサーバは 1980 年以降に安くなった汎用 PC を各自が使い、業務用サーバとやり取りしながら業務を進めていく形態です。

これを元に DX レポート 2025 年の崖の DX の定義を要約すると「新しい環境（特に SaaS ＜サース／ Software as a Service の略／インターネット経由でソフトウエアを利用するサービス＞）を使って新しいプロダクトを作って一発当てよう」です。

一方、DX レポート 2 では経産省自身が作った DX 推進指標における DX の定義を引用しています。

企業がビジネス環境の激しい変化に対応し、データとデジタル技術を活用して、顧客や社会のニーズを基に、製品やサービス、ビジネスモデルを変革するとともに、業務そのものや、組織、プロセス、企業文化・風土を変革し、競争上の優位性を確立すること

これは要約すると、先に述べた通り「デジタル技術（ソフトウェア）でアジリティを獲得しましょう」です。

このように「2025 年の崖」と「DX レポート 2」とでは、DX の定義がまるで違います。「2025 年の崖」はセンセーショナルであったため多くの人が読んでおり、これにより DX の言葉が広がりました。一方でそれ以降に出たレポートはあまり注目されておらず、DX の本質とはソフトウェアによるアジリティの獲得、という考えは広まっていない現状があります。

闇鍋化した DX の概念、さまざまな DX の方向性

　現在、DX にはいくつかの方向性や対象分野があります。そのため「DX」は使う人により定義がバラバラの闇鍋状態です。そのため、DX にはどのような方向性があるのかを押さえておくことが肝要です。

　DX を方向性の軸で考えると、次の 5 つ程度に分けることができます。

方向性	内容
労働問題	●コンピュータという新しい労働力の誕生と普及。DX とは「コンピュータという新しい労働力をいかに活躍させるのか？」という労働問題。 ● DX ＝新規事業なので、事業部門の問題だから、ボトムアップでいい感じにすれば上手くいく、という考え方では失敗する。 ● DX ＝労働問題なので、バックオフィスや、経営層が本気で考えなくてはいけない課題であり、トップダウンで解決する必要がある、という考え方。
DX の前提となる課題の解決	●「DX レポート 2025 年の崖」に端を発する、「DX ＝レガシーシステムの刷新」という勘違い。「CIO/CDO の不足」「SI 企業への依存」といった従来組織の課題の解決。「デジタルによる働き方改革の推進」「DX=IT 投資の推進」といった投資活動。
組織論	●シリコンバレーのベンチャー企業のやり方を学び、IT 開発を内製化する。 ●シリコンバレーのベンチャー企業は「テクノロジーを売る」ではなく「テクノロジーでビジネスを営む」へと変化し成功した。 ●そのために、デザイン思考、アジャイル開発、リーンスタートアップによる製品開発プロセスを大企業へと移植し、IT 開発を内製化する取り組み。 ●シリコンバレーのやり方によるアジリティの獲得という考え方。 ●ダブルループ学習を基本とした考え方、軌道修正のやり方の確立。 ●プラグマティズム（実用主義）の実践、デジタルプラグマティズム。
プロダクト	●クラウド、ビッグデータ、AI、IoT、モバイル、ソーシャル等の各種先端技術と自社のビジネスを融合させ、既存事業をデジタル方向で強化、新規事業を開発するという考え方。
経営論	● DX とはデジタルを用いた破壊的イノベーションによって引き起こされるディスラプションであるという考え方。 ●デジタルによる変革はすべての業界で進む、自分たちの業界も例外ではない。座して死を待つのではなく、自らが率先して変革し、同業他社を食らう側に回るべきである、という考え方。

売上とコストと事業分野による切り口だと、次の３つになります。

対象分野	方針
新規事業開発	● デジタルを用いた新規プロダクトの開発、そのための組織作り。社内にこれまで存在しなかった全く新しい売上を作り出す。 ● デジタル人材を既存事業と別の給与テーブルで雇用するために、出島戦略や分社化を行う。
既存事業の売上増	● デジタルによって既存事業の付加価値を増加させ、市場競争力を改善し、マーケットシェアや顧客単価を上昇させる。既存事業の売上を増やす。 ● ソフトウェアを内製化し、アジリティを向上させることで、市場競争力を維持する。
既存事業のコスト削減	● デジタルによって既存事業のコストを削減する。製品の生産コスト削減や、ノンコア業務の RPA による自動化などが該当。 ● 既存ノンコア業務を SaaS に置き換えるための標準化活動などが該当。競争力に寄与しない部分は他社と同じものを使う。

　このように一言に「DX」といっても、どのような視点から「DX」を見ているかによって全く別の答えが返ってきます。ある人は「DX とは新規事業開発」と言うかもしれませんし、またある人は「SaaS を使うことだ」と言うかもしれません。そのため、同じ「DX」について話しているつもりでも、人によって全く別のことを想像していることはよくあります。

「DX」は頭がよさそうに聞こえる言葉なのでつい使ってしまいがちですが、「DX」という曖昧な言葉を使っていては合意形成が困難です。話をしている相手が「DX」という言葉を使った際には、それがどのような意味なのかを確認するクセを付けることが大事です。

DXをしたいなら「DX」という言葉を使うな

　前項で書いたように、DXという言葉にはさまざまな方向性や考え方があります。そのため、「DX」という言葉を使っている限り、同床異夢の温床であり、いつまでも議論が空中戦になってしまうのです。

　社長、部長、課長、現場、IT部門、IR部門、それぞれが思い描いている「DX」が全くの別モノなんてことはよくあります。現場が挙げた「DX」の計画を部長が「それはDXではない」として蹴ることなんてことも発生します。そのため、本末転倒ですがDXを推進するためには「DX」という言葉を使わないことが大切です。

　たとえば「システム化を推し進め、共通業務の残業時間をゼロにする」「業務の90%以上を在宅で実施することを可能にする」「毎日行ってる請求書をExcelに転記する業務を自動化する」こういった具体化された言葉を使うことで物事は前に進むようになります。

　また多くの企業が使っている言葉に「DX人財」というのもあります。これも要注意ワードです。このような言葉を使ってしまっている企業は、自分たちがどのような業務を行う必要があり、そのためにはどのようなスキルを持った人材が必要なのかが明確化できていないのです。「DX人財」という言葉を使って、人材の要件が定義できたフリをしているのです。

　つまり「DX人財」とは「ドラえもんがいれば何とかしてくれる」と言っているも同然なのです。現実にはドラえもんはいません。業務を整理して、必要なスキルセットを明確化して、そのうえで一歩ずつ人材を育成、採用するしかないのです。

　ソフトウェア業界の諺で言うなら「銀の弾などない」です。これは、「人月の神話」というソフトウェア工学の最初期の書籍の中に収録されている「銀の弾などない」という論文に由来しています。この論文では「ソフトウェア開発の本質的に複雑な部分を一発で解決してくれる技術やソリューションは当分は登場しない」という内容が書かれており、これが転じて「複雑な物事を一撃で解決する技術やソリューションは存在しないので、複雑な物事は少しずつ解決するしかない」という意味で使われます。

「人財」という言葉の危険性、集団的効力感、認知的不協和、大本営発表マネジメント

　筆者の個人的な意見ですが「人材」を「人財」と書く企業には若干の気持ち悪さを覚えます。ここではその気持ち悪さを言語化していきます。

　私が「人財」という言葉に忌避感を覚えるのは、「我々は優れている」という集団的効力感が暗に入っているためです。集団的効力感とは自己効力感の集団版で、「我々ならできる」「我々はきっとうまくいく」「我々は優れている」という考えを抱くことです。企業は集団的効力感を高めるようなメッセージを発することで、社員に自信を持たせ、社員同士の団結力を高め、そして社員の不安を和らげます。

　集団的効力感を高めることは悪いことではありません。自信からくるモチベーション向上による業務効率改善や、不安からくる離職を減らすことができます。また日本企業では会議における「空気」で合意形成がされているため、空気感を作り出してくれる集団的効力感は意思決定を容易化してくれます。そして会社や上司の命令にも、反発せずにすんなりと従ってくれるようになります。つまり、集団的効力感を高めるとマネジメントが極めて容易になるのです。

　また、「人財」という言葉は、日本型メンバーシップ雇用と相性がいいというのもあります。メンバーシップ雇用においては、「勤続年数が長く、さまざまな現場を経験しているため潜在能力が上がっている、だから人事異動しても仕事ができるはずだ」という前提のもとに「職能」のランクが決定され、「職能給」として給与が支払われます。年功序列の裏側にはこのような考え方があるのです。そのため、職能（潜在能力）が高い社員を肯定するためにも「人財」という言葉を使いたいのです。

　一方で、集団的効力感を高めていると、いつしか「我々は優れている、だから勉強しなくていい」「我々は勝っている、だから現状維持でいい」という驕った認識になっていくことがよくあります。そして、新しいことにチャレンジしている人や、勉強している人を見ると、足を引っ張ったり、「ガリ勉」と称して笑うようなことをし始めます。さらには、失敗をしたことが認められなくなります。なぜなら「我々は優れているから失敗はしない」からです。

これは認知的不協和の解消という行為で説明ができます。この話はイソップ寓話における「酸っぱい葡萄」が有名です。葡萄の実を食べようと必死に飛び跳ねていたキツネは、最終的に葡萄を取るのを諦め「どうせ酸っぱい葡萄だから、食べなくてよかった」と言うのです。キツネは「葡萄を取れなかった自分」を認めたくないので「葡萄に価値が無い」というように、自己の認知を捻じ曲げたのです。

「人財」「我々は勝っている」「我々は XX 業界でナンバーワンだ！」といった形で社員に集団的効力感を持たせるようにメッセージを発信すると、不安耐性の低い人のコントロールが容易になり、マネジメントスキルが無い管理職でも現場が回せるようになるという効果があります。その半面、驕りにより現状を正しく認識できなくなり、現状維持圧力の増加へと繋がっていきます。筆者はこれを「大本営発表マネジメント」と呼んでいます。

　また、集団的効力感は、現状に疑問を持つことを抑制します。現状に疑問を持つということは「我々は勝っている」に水を差すからです。そのため、現状に疑問を持ち質問をする人は「和を乱すやつ」として排除されていきます。つまり心理的安全性が消失するのです。

「大本営発表」を見抜ける人は、会社の欺瞞（ぎまん）に気づき、「心理的安全性が無い環境なので成長できない」と考え辞めていきます。「大本営発表マネジメント」を行っていると、正しく状況が見える人、成長意欲のある人から順に辞めていくのです。そしてさらに現状維持圧力が高まっていくのです。

　そのため、筆者はわざわざ「人財」という言葉を使っている企業からは、集団的効力感を高めるような施策を行っているだろう気配を感じ、「大本営発表マネジメント」を行っている疑いを感じ取り、マネジメント能力の貧弱さや、現状維持圧力の高さを予想し、「危うい」匂いを感じてしまいます。

「人財」ではなく「人的資本（Human Capital）」であれば、アカデミックの分野で研究されている言葉であり、また ESG 経営（Environment ＜環境＞・Social ＜社会＞・Governance ＜ガバナンス＞に配慮した経営）の文脈で「人的資本経営」としてある程度体系化されているので、まだ大丈夫そうだと判断するのですが……。

DX 後の組織、要求される資質の変化

　DX の前後では、企業のアジリティの源泉が異なります。DX 前は人事異動による人材育成と問題解決、DX 後はソフトウェアの設計・開発・改修になります。そのため DX の前後で組織における働き方や、そのために要求される資質は全く別物になっていきます。

DX の前後における、経営者、従業員、IT 部門の働き方や要求される資質は次の通りです。

	DX 前	DX 後
経営者	● 人事異動を通じて社員を育成 ● 社員を交換可能にし、事業存続性を高める ● 社員が増えたら、人が増えた分だけ売り上げが上がる仕組みの構築 ● 各事業部へのヒトモノカネの分配 ● 自分が行いたい意思決定のために社内の空気を調整する	● ソフトウェアの設計・製造・改修体制の構築 ● データに基づいて意思決定を行うための、データ蓄積基盤、データ分析基盤の構築 ● 業務を回すための IT システムの構築、顧客が増えても、コンピュータを増やせば対応できる体制の構築
従業員	● 人事異動を通じた人的ネットワークの構築 ● 各々の業務のノウハウを現場でためて、現場で継承していく ● 高いコミュニケーション能力で、現場の人員や取引先から素早く暗黙知を吸収する ● 社内の空気に配慮して、有用な情報を上層部に選別して上げていく	● IT プラットフォーム上で合意形成を行うための文章能力 ● 暗黙知を形式知に変換していき、ナレッジを蓄積していく言語化力 ● IT 部門に対して、自分たちの仕事を言語化して伝える、IT 部門と一緒になって要件定義を行う ● IT システムに対して、失敗や失注も含めて全ての情報を入力していくことで、機械学習の糧とする ● データ分析基盤を利用して自分が見たいレポートを引き出し、データに基づく意思決定を行う

IT 部門	●基幹システムの構築・運用・保守 ● SI 企業から基幹システムのソリューションの提案を受け取り、要件の取捨選択を行う ●複数の SI 企業を競争させ、IT システムの運用コストを下げていく ●社内の IT 関連全般のヘルプデスク業務、パソコンや社内ネットワークのキッティング	●現場からノウハウを吸い上げて、システムに落とし込んでいく ●ソフトウェアを手の内化して、高度なスキルが必要な箇所のみ SI 企業に依頼する ●データの蓄積環境を整備し、データ分析を可能にする ●コミュニケーションプラットフォームを整備する

　この表にあるように、DX の前後では、各自の働き方は急速に変わっていきます。労働とは「人間が働く」から「ソフトウェアと共働する」へと変化していきます。そのため労働者に求められる資質や能力も大きく変化していきます。

　ムーアの法則はあと 10 年くらいは続きそうです。コンピュータは高性能化と廉価化を繰り返し、新たな職場へとコンピュータは普及していきます。この流れはもはや不可逆です。労働者としてはこの流れにいかにうまく乗るかが求められています。

DX 前の働き方

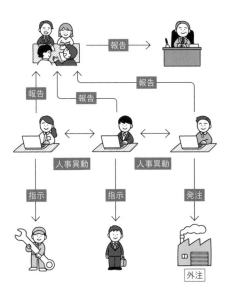

● 経営者の仕事
・人事異動を通じて社員を成長させる
・社員を交換可能にすることで事業継続性を高める
・社員を増やしたら、人が増えた分だけ売り上げが増える体制を作り上げる
・各事業部にヒトモノカネを分配する
・自分が行いたい意思決定のために社内の空気を調整する

● 従業員の仕事
・人事異動を通じた、人的ネットワークの構築
・上下左右とコミュニケーションをとって事業を円滑に進めていく
・社内の空気を壊さないように注意して、有用な情報を選別して、上にあげていく
・ノウハウを現場でためて、現場で継承していく

DX 後の働き方

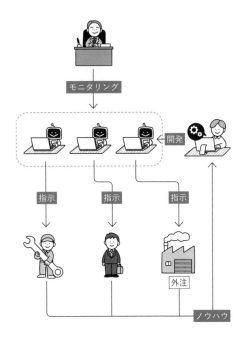

● 経営者の仕事
・IT システムの構築、発展させていく体制の構築
・データに基づいて意思決定を行うために、IT システムからデータを抽出できる仕組みの構築
・顧客が増えても、コンピュータを増やせば対応できる体制の構築

● 現場の仕事
・IT システムからの指示に対して適切に行動する
・IT システムに正しいデータ入力する
・IT システムを通じてコミュニケーションを行う

● IT 部門の仕事
・データの蓄積環境を整備する
・コミュニケーションプラットフォームを整備
・現場からノウハウを吸い上げて、システムに落とし込んでいく

リスキリングとしての情報IとITパスポート、統計検定

リスキリング（Reskilling）とは、既存社員を再教育し、新たな技術やスキルを獲得させることです。なぜならば、技術の進歩により、今の仕事のあり方が大きく変わることは必然であり、誰しもが今後数十年の間、同じ仕事をし続けることは困難だからです。

コンピュータの普及、ソフトウェアの活用とともに仕事のあり方が大きく変わっていき、労働者にはそれに適合した新しい働き方や、そもそも新しい仕事に就くことが求められます。そしてそのための必要スキルを獲得できるよう、企業は社員を再教育しなくてはなりません。

業務に必要なスキルが社内に存在しない場合、そのスキルは配置転換とOJTで学ぶことはできません。普通の企業であれば、プログラミングやAI開発などの高度なスキルがこれに該当します。そのため、企業は人事異動やOJTとは別口で社員を教育しなければなりません。

情報IやITパスポートは、リスキリングの入口として最適だと考えています。高度なスキルを学ぶには、そのための基礎体力が必要です。社内のITスキルが低いのであれば、「新入社員が当たり前に持っているITスキル（≒ITパスポート、情報I）と同程度になるまで既存社員をリスキリングする」ということを短期的な目標にしてもよいでしょう。

右上の図は経産省が出している、デジタル社会における人材像という図です。この図では、「小・中・高校における情報教育」という領域と、「新たな施策が特に必要（リスキリング）」とされる領域が一部重複しています。本書の狙いはこの重複領域です。

デジタル社会における人材像

- デジタル社会においては、**全ての国民が、役割に応じた相応のデジタル知識・能力を習得**する必要がある。
- 若年層は、小・中・高等学校の情報教育を通じて一定レベルの知識を習得する。**現役のビジネスパーソンの学び直し（＝リスキリング）が重要**。

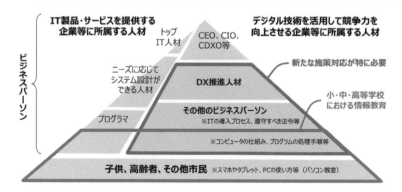

経済産業省「デジタル人材育成プラットフォームについて」より引用
https://www.meti.go.jp/policy/economy/jinzai/reskillprograms/reskillwebinar/reskill_webinar2022_shiryo6.pdf

　前述したように、情報Ⅰや ITパスポートは、現代のリンガ・フランカ（共通言語）となりました。IT の言葉でプログラマーや SE と会話ができなければ、もはや業務改善は行えません。ゴールはあくまでも「会話ができる」です。現場で業務を回す人は、今の業務に疑問を持ち、IT の専門家に相談し、説明することができたら 100 点です。解決策を考えるのは専門家の仕事です。

　子供が病気になった際に、自分で医療を勉強して、病気を自ら治療しようとするのは、おろかなことです。真っ当な人は、子供の異常に気づいたら病院に連れていくのです。それで 100 点です。IT にしてもこれと一緒です。プログラムが書ける人は社内に必要ですが、全員が全員プログラムを書ける必要はないのです。だからこそ、情報Ⅰは全高校生に課され、ITパスポートを全社員に取らせる企業もあらわれるのです。

　また、「データに基づく意思決定」という観点からも情報Ⅰは有効です。情報Ⅰは数学Ⅰで行われている統計と同程度のスキルを要求し、これは統計検定 3 級に相当します。統計検定 3 級の出題範囲は以下の通りです。

●データの種類（量的変数、質的変数、名義尺度、順序尺度、間隔尺度、比例尺度）

●標本調査と実験（母集団と標本、実験の基本的な考え方、国勢調査）

●統計グラフとデータの集計（1変数データ、2変数データ）

●時系列データ（時系列グラフ、指数（指標）、移動平均）

●データの散らばりの指標（四分位数、四分位範囲、分散、標準偏差、変動係数）

●データの散らばりのグラフ表現（箱ひげ図、はずれ値）

●相関と回帰（散布図、擬似相関、相関係数、相関と因果、回帰直線）

●確率（独立な試行、条件付き確率）

●確率分布（確率変数の平均・分散、二項分布、正規分布、二項分布の正規近似）

●統計的な推測（母平均・母比率の標本分布、区間推定、仮説検定）

https://www.toukei-kentei.jp/exam/grade3/ より引用

そのためITパスポートとともに、統計検定3級の資格取得を目指すのも、リスキリングの第一歩として悪くないでしょう。本書では2章と3章でこれらの解説をしています。

## 第 2 章

情報Ⅰの概略
を掴む

　本章では、高校生が情報Ⅰで学ぶ内容から重要事項を抜粋して解説していきます。教科書は各社から出版されていますが、指導要領に基づいて制作されているため学習内容に大きな違いはありません。本章は実教出版の『図説情報Ⅰ』（令和5年）に基づいた構成になっています。

　この教科書は、序章である「情報社会と私たち」と、「情報社会と問題解決」「コミュニケーションと情報デザイン」「情報とコンピュータ」「アルゴリズムとプログラム」「モデル化とデータの活用」「ネットワークと情報システム」の6章、そして多数の演習によって構成されています。本書ではそれぞれについて解説を行います。

　各章の各項について、特筆すべき点は私見を交えて詳しく解説し、社会人であれば知っているだろう項目は、キーワードの紹介に留めています。自分が知らないキーワードがあれば、適宜検索して調べてみてください。

　なお、情報Ⅰのカリキュラムは、演習で手を動かしてプログラミングやデータ分析を行うことが前提で作られています。そのため知識だけ勉強しても不十分です。本書や類書による情報技術の解説を読むだけでなく、自ら手を動かして体験をしてください。

　また、情報Ⅰの指導要領及び教科書は、生成AI技術が普及する以前に作成されたものです。画像生成AIは2022年の夏ごろから流行し、ChatGPTは同年の11月末に登場しました。そのため、教科書では生成AIによる社会変革の流れの記載がありません。生成AIについては、本書第4章で触れています。

情報社会と私たち

	キーワード
情報と情報社会の特徴	IoT、人工知能（AI）、データ・情報・知識、残存性・複製性・伝搬性
情報化の進展と情報技術	情報化の光、情報化の影、GPS、位置情報システム
情報社会における個人の責任	匿名、信頼性・信憑性

「IoT」、Internet of Things とは、日本語では「モノのインターネット」と呼ばれることがあります。かつてインターネットに繋がっていたのは、コンピュータであり、そしてその先に繋がっていた人間でした。現代では「コンピュータ」と認識されないモノ、例えば工作機械や、日常使いの家電製品などがインターネットに接続し、さまざまな情報をインターネット上のサーバに送信し、またサーバからの指示によって制御されています。IoT は第四次産業革命やSociety5.0 の基盤技術となっています。これらについては 4 章で解説します。

「データ・情報・知識」は一見すると同じような言葉ですが、微妙な使い分けがあります。これについては情報処理学会が公開している IS ディジタル辞典から引用します。（改行と強調は筆者が付与）

　何らかのシステムによって計算・推論・伝送・制御などの処理を施すことを前提に，符号化し入力または出力されるものを**データ**と呼ぶ。これは物理的な存在として捉える非属人的な事実であるとの見方で符号的側面にウェイトをおいている。

　これに対して，その意味的内容的側面にウェイトをおくときは**情報**と呼ぶ。情報とは送り手が表現手段と伝送手段を使って受け手に送る "①見聞きした事柄や状況，②伝えたい意図や頼まれごと，③獲得した知識や資料，④それらを表す言葉や文章，⑤絵や意味を持った記号のパターン" など，属人的なものであるといえる。

さらに，科学的な論理のもとに何らかの処理が施され，得られた事象が統計学的処理に裏付けられた確実性のある結論であるならば**知識**とよぶ。つまり，知識とは認識によって得られ，客観的に確証された成果であり構造を持っているといえる。

情報処理学会 IS 研究会編：ISBOK, IS ディジタル辞典 第二版 , 情報処理学会 (2019).
https://ipsj-is.jp/isdic/1084/

教科書では触れられていませんが、データにも 2 種類あることを覚えておくとよいでしょう。それが Human-Readable（人間が読めるデータ）と、Computer-Readable（コンピュータが読めるデータ）です。ソフトウェアは、あらかじめ記述された定形な処理を繰り返します。そのためソフトウェアが処理可能なのは、決まったフォーマットで入力されているデータだけです。

たとえば、総務省が公開している「統計表における機械判読可能なデータ作成に関する表記方法」では、どのような Excel ファイルを作ればコンピュータが処理可能なのかの例を示しています。修正前とされているのが、コンピュータで処理できない Excel ファイルの例です。

例 1 　数値データ内に文字列が含まれる場合

修正前	修正後
「円」、「▲（マイナス表記）」、「,（カンマ）」が文字列として入力されている	数値データを数値属性として入力した状態

修正前

	単価	前回差分	生産台数
サンプル1	10,030円	130	12,000
サンプル2	9,100円	▲200	29,000
サンプル3	8,020円	▲350	37,000
サンプル4	7,500円	500	43,000
SUM関数	0	630	0
+（加算演算）	#VALUE!	#VALUE!	121000

↑黄色の行は関数で合計を表示した例

修正後

	単価	前回差分	生産台数
サンプル1	10030	130	12000
サンプル2	9100	−200	29000
サンプル3	8020	−350	37000
サンプル4	7500	500	43000
SUM関数	34650	80	121000
+（加算演算）	34650	80	121000

↑黄色の行は関数で合計を表示した例

例1

修正前	修正後
セルが結合（又は分離）されている	セルの結合を解除した状態

修正前:

	管理職	従業員数（上段は正社員、下段はパート）
第一営業所	3	15
		2

市区町村	生産本数
ちよだく	58406
千代田区	
ちゅうおうく	141183
中央区	
みなとく	243283
港区	

修正後:

	管理職	従業員数（正社員）	従業員数（パート）
第一営業所	3	15	2

市区町村	ふりがな	生産本数
千代田区	ちよだく	58406
中央区	ちゅうおうく	141183
港区	みなとく	243283

統計表における機械判読可能なデータ作成に関する表記方法
https://www.soumu.go.jp/main_content/000723626.pdf より引用

　人間が読みやすいデータは、必ずしもコンピュータが読みやすいデータではないのです。コンピュータが読みやすいデータとは、1件1行、1項目1セルで収まっており、数値が入るべき場所には数値が入り、文字列が入る場所には文字列が入り、他のデータと紐づけができるものです。

　AIブームによってデータ蓄積の重要性が上がりましたが、Human-Readableなデータをいくら蓄積しても、Computer-Readableでなかったらコンピュータが読み取ることはできないのです。「我々はデータが大量にあるからAIで効率化するハズだ！」と言っていた企業の大半は死にました。

　「残存性・複製性・伝搬性」はモノと情報の決定的な違いです。モノは譲渡したらなくなります。バナナは食べたら消えてなくなります。しかし情報は違います。人に伝えてもなくなりません。複製しても劣化しません。電線や光ファイバー、果ては人工衛星による通信網により、世界中のどこにでも一瞬で届けることができます。

　「インターネットは『匿名』であるので、便利な反面悪用されやすい」と高校

生には教えられているようですが、これは微妙なところです。現代のインターネットは「匿名」なようで「匿名」ではありません。なぜなら、誹謗中傷や脅迫、殺害予告等に対して裁判を行うことで「匿名」は容易に暴かれるからです。2022年10月に改正プロバイダ責任制限法が施行され、誹謗中傷に対する被害者救済が迅速化されました。

　まず、誹謗中傷の被害者は、裁判所に対して発信者情報の開示の申し立てを行います。そして、開示請求が認められると、裁判所はコンテンツプロバイダ（TwitterやFacebookなど）に対して情報発信者のIPアドレスの開示を求め、そのIPアドレスを元にアクセスプロバイダ（OCNやdocomoなど）に対して、契約者情報の開示命令が出されます。アクセスプロバイダは、その時間帯にそのIPアドレスをどの契約者が使っていたのかを調査し、裁判所に回答します。

　その後、契約者情報を受け取った被害者は、誹謗中傷の情報発信者に対して、示談交渉や裁判を行うことになるのです。インターネットは「匿名」なようで「匿名」ではありません。インターネット上で何かを言うときは、裁判所を通じて個人情報が開示されることもあると頭の片隅に入れておきましょう。

情報社会と問題解決

	キーワード
問題解決の手順	問題解決、問題の発見、問題の明確化
情報の収集と整理	ブレーンストーミング、検索エンジン、フィールドワーク、KJ 法、コンセプトマップ
情報の分析	分析、表計算ソフトウェア、グラフ

　問題解決の工程は、問題の発見、問題の分析（構成要素、制約条件の洗い出し）、解決策の検討と比較、解決案の実施、振り返り等からなります。問題解決とは、理想と現状のギャップを正しく認識し、解決方法を考えることです。

　現実には、「現状の認識」と「正しい理想」を考えることに多大な工数が投入されます。解決方法とは、現実と理想のギャップから生まれてくるのです。

　問題発見と分析については、3章で「やりたいことをヒアリングする」「要望は聞く。聞いたうえで無視して、本当の課題を解決する」「要件定義はブレイクダウンとすり合わせ」で解説しているので、そちらでご覧ください。

　いくつかの教科書では、問題解決のために PDCA サイクルのアプローチが紹介されています。Plan（計画）、Do（実行）、Check（評価）、Act（改善）のステップを繰り返すことで解決策の質を高める効果が見込まれるとされています。しかし PDCA サイクルは組織形態によっては機能しないことがあります。

　中長期レベルの施策については、PDCA の1周のサイクルが長く、その間に人事異動が行われてしまい、全員が途中参加で誰もサイクルの頭から終わりまでを見ておらず反省会をしようにも、誰も施策の全体プロセスにおける問題点を指摘できないといったことが起こり得ます。

　このほかにも PDCA の各プロセスを別々の部署が担っているため、PDCA サイクルが機能不全を引き起こしているということもよくあります。経営企画が方針を考え、現場が運用を行い、現場の担当部長がそれを評価し、また経営

企画が改善案を考えるといった具合です。この場合、１周のサイクルを回すには１年から２年程度掛かってしまいます。

　PDCA のサイクルは大切ですが、それが機能するための組織体や、サイクルをいかに早くするかといった運用面への配慮が必要です。IT 業界ではスクラム開発などの手法が用いられており、１イテレーション（反復・繰り返しを意味する英単語 iteration に由来するソフトウエア開発におけるサイクル）を２週間程度とし、イテレーションの中で開発プロセスにおける問題点や改善を行っていくという動きがあります。メンバーの成長と、社会環境の急速な変化に追従するには、短いサイクルで改善が回せる組織のほうが強いのです。

　私見ですが、世の中の問題解決の９割９分は、マイナスをゼロにする仕事です。既に解かれている課題を知り、その課題と解法を抽象化し、現在直面している問題にいかに適用するのか。これで９割９分の課題は解けてしまいます。

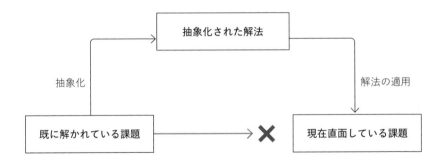

　上図のようなプロセスがうまく行えると、既に解かれている課題というのは、同業でなくともよいのです。例えば情報セキュリティへの投資やデータ分析は、全ての業種でやることはほぼ同一です。他業種から正解を持ってくればよいのです。

　マイナスをゼロにする仕事をうまく回すには、世の中に公開されている事例をいかに頭に叩き込み、業界標準（ゼロ）を知るかにあります。大半の課題解決において、独創性や創造性は不要です。コンサルティング企業が提供している業務の一つは、このような他業種からの知識移転の仕事であったりします。

情報社会における法規と制度

	キーワード
情報の管理と保護	個人情報・基本四情報、個人情報保護法、プライバシー、プライバシーポリシー、肖像権・パブリシティ権
知的財産権と産業財産権	知的財産権、産業財産権（特許権・実用新案権・意匠権・商標権）、著作権、著作物
著作権	著作者人格権、著作権（財産権）、著作隣接権

個人情報とは何かについては、政府広報から引用します。

　個人情報保護法において「個人情報」とは、**生存する個人**に関する情報で、氏名、生年月日、住所、顔写真などにより**特定の個人を識別できる情報**をいいます。

　これには、他の情報と容易に照合することができ、それにより特定の個人を識別することができることとなるものも含まれます。例えば、生年月日や電話番号などは、それ単体では特定の個人を識別できないような情報ですが、**氏名などと組み合わせることで特定の個人を識別できるため、個人情報に該当する**場合があります。

　また、メールアドレスについてもユーザー名やドメイン名から特定の個人を識別することができる場合は、それ自体が単体で、個人情報に該当します。

　このほか、番号、記号、符号などで、その情報単体から特定の個人を識別できる情報で、政令・規則で定められたものを「個人識別符号」といい、個人識別符号が含まれる情報は個人情報となります。

　例えば、次のようなものです。

（1）　身体の一部の特徴を電子処理のために変換した符号で、**顔認証データ、指紋認証データ、虹彩、声紋、歩行の態様、手指の静脈、掌紋**などのデータがあります。

（2）　サービス利用や書類において利用者ごとに割り振られる符号で、**パスポート番号、基礎年金番号、運転免許証番号、住民票コード、マイナンバー、**

保険者番号などがあります。

https://www.gov-online.go.jp/useful/article/201703/1.html より引用（太字は筆者が強調）

つまり、個人情報とは「個人を特定できる情報」全てが該当します。氏名・性別・生年月日といった情報だけが個人情報というわけではないのです。また、特に「個人情報・基本四情報」として、「氏名」「生年月日」「住所」「性別」があります。住民基本台帳を保有している行政は、これらの情報から個人を一意に特定することができます。そのため、これらの情報については特に気を付けて取り扱う必要があります。

一般に知的財産とは、人間の知的創造活動の結果によって生み出されたものであり、それに対して国家が「発明者・創造者に対して法律に基づき、一定期間の独占権を与えたもの」が知的財産権です。知的財産権はさまざまな法律が入り組んだ権利の総称であるため、文化庁の資料から、どのような権利が何に基づいているのかを引用します。

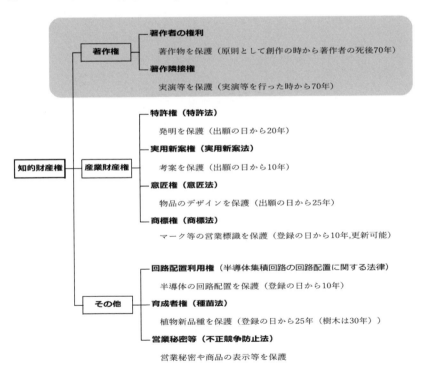

また、著作権についても、権利は細かく分かれており、さまざまな権利から成り立っています。

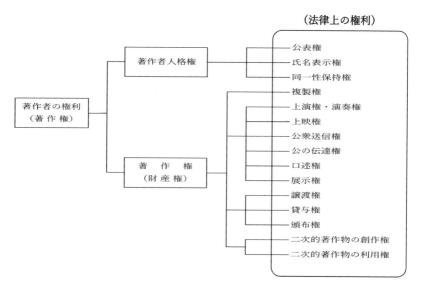

　例えば本書については、本文の著作権は筆者が保有しています。出版社は著者と出版契約書を結ぶことで、印刷物を作り（複製権）、販売する（譲渡権）ことができます。

情報セキュリティと個人が行う対策

	キーワード
認証とパスワード	ユーザ ID、パスワード、認証（知識認証、所有物認証、生体認証）、多要素認証、不正アクセス、サイバー犯罪、ソーシャルエンジニアリング
情報の暗号化	暗号化、復号、鍵、無線 LAN、アクセスポイント
コンピュータウイルスと対策	コンピュータウィルス、自己伝搬機能・潜伏機能・発病機能、ウィルス対策ソフトウェア、ウィルス定義ファイル、マルウェア

　認証とは、「現実世界に存在する個人」と「IT システム上のユーザ」を紐づける行為です。現在アクセスしようとしている人は誰なのか、ということをIT システムに判断させるために行います。ID とパスワードによるログインの裏側ではそのような判断が行われているのです。

　認証では、「その人しか持っていないもの」を使うことで、「その人である」ということを確認します。認証には、知識認証（WYK: What You Know）、所有物認証（WYH: What You Have）、生体認証（WYA: What You Are）の3種類があります。

　知識認証とは、「その人の頭の中にしかない情報」を利用します。パスワードや「秘密の質問の答え」などがこれに当たります。パスワードを人と共有してはいけない、紙に書いてはいけないというのは、「その人の頭の中にしかない情報」という前提が崩れるためです。

　所有物認証とは、「その人しか持っていないもの」を使うことです。例えばキャッシュカードや、携帯電話による SMS 認証がこれに当たります。このほかにも、乱数表やワンタイムパスワードトークン、メールアドレスなどが該当します。

以下の画像は筆者のスマートフォン上で動作しているワンタイムパスワードです。さまざまなサービスのログインの際に、ID とパスワードのみならず、30 秒ごとに更新される 6 桁の数字を打ち込んでいます。これにより ID とパスワードが盗まれたとしても、スマートフォンも同時に盗まないと IT サービスにログインできないのです。

　生体認証とは、指紋、虹彩、静脈といった、「その人に固有の生体情報」を使います。指紋や虹彩、静脈などは、遺伝子の影響だけでなく、受精卵の発生段階における外乱や偶然の影響を受けて変化するため、一卵性双生児であっても一人ひとり異なります。そのため、ある人の指紋や静脈と一致する人が現れたのであれば、それはその人であると、認証することができるわけです。

　多要素認証（MFA：Multi Factor Authentication）は、知識認証、所有物認証、生体認証の複数系統を組み合わせることで、不正利用を困難にします。多要素認証は複数の系統を同時に盗み出すことが困難であることに基づいています。

　例えばユーザ ID とパスワード＋ SMS 認証は、WYK と WYH の組み合わせです。ATM での預金引き出しは、WYH（キャッシュカード）と WYK（暗証番号 4 桁）を組み合わせています。最近は WYA（静脈認証）を使う ATM も増えてきました。金庫も ATM と似たように WYH（鍵）と WYK（ダイヤルの

回し方）を利用しています。銀行窓口では WYH（通帳、印鑑、身分証）と WYA（身分証と本人の写真確認）の組み合わせでセキュリティを担保しています。

　一方で Web サービスでよく使われる「パスワード」と「秘密の質問の答え」は、両者とも WYK なので多要素認証にはなり得ません。銀行や証券サービスでよく利用されている「ログインパスワード」と「取引パスワード」の運用も同様です。これらは、フィッシングサイトで一度に盗むことができてしまいます。所有物や生体情報による認証と併用していれば、フィッシングサイトにかかって知識情報を盗まれたとしても、認証を突破されることはないのです。

　パスワードは十分に複雑にすることが求められます。過去には小文字大文字記号数字を混ぜたモノを使うことが求められましたが、現在は十分に長いパスワードを利用することが推奨されています。小文字大文字記号数字を混ぜたところで、パスワードが 10 文字以下の短さであれば、総当たりで容易に突破されてしまうためです。

　インターネットはオープンなネットワークであり、盗聴されていることが前提です。たとえば無線 LAN は電波で通信を行っているので、電波は第三者が傍受することができてしまいます。また、有線のケーブルであっても、ケーブルを分岐させれば通信を盗み見ることはできます。ハブやルーターといったネットワーク機器から通信内容を横取りすることも、知識さえあれば簡単にできてしまいます。そのため、何かの通信を行う際には、暗号化を行い「盗聴されたとしても、通信内容がわからなくする」「改竄されたとしても、通信内容が壊れて無効化される」必要があるのです。

　そのため、無線 LAN で通信を行う際は WPA2 等の暗号化強度の高い暗号化規格を使うことが求められます。暗号化強度の低い WEP は、容易に暗号化を破って通信内容そのものの盗聴が可能です。暗号化強度は「WPA3 > WPA2 > WPA > WEP > 暗号化無し」の順です。

　無線 LAN で暗号化しているから安全というわけではありません。無線 LAN で暗号化されているのは、端末からアクセスポイントまでの間です。アクセスポイントから先の有線は暗号化されていないので、容易に盗聴ができてしまいます。それゆえ、ウェブサイトにアクセスする際は SSL/TLS を利用して、パソコンからウェブサイトまでの通信経路の暗号化を行う必要があります。URL

が https になっているウェブサイトは、この SSL/TLS を利用したものになっています。

　コンピュータウィルスとは何か、というのを細かく語っていると日が暮れてしまうので、本書では「不審なファイルは開くな」「Windows を使っているのであれば、Windows Defender を入れておけ」という話に留めておきます。

「不審なファイルを開くな」は言わずもがな、これ自身がコンピュータウィルスの可能性があります。パソコンが乗っ取られ、遠隔操作されてしまいます。不審なファイルは、あなたの上司や取引先を装ってメールで飛んでくることがあります。インターネット上に転がっているファイルだけが不審なファイルというわけではありません。

　オーストリアの独立系組織である AV-Comparatives（https://www.av-comparatives.org/）は、アンチウィルスソフトの比較調査を四半期ごとに行っています。2023 年現在、Windows に標準搭載されている Windows Defender は、同組織の調査では比較的優秀な結果を残しています。そのため、企業での集中管理などの特段の理由が無い限り、サードパーティー製のアンチウィルスソフトを導入するメリットは薄いと考えます。

メディア

	キーワード
メディアの機能と特性	メディア、マスメディア、情報メディア、表現メディア、伝達メディア
メディアリテラシー	メディアリテラシー、クロスチェック、信憑性

教科書の内容と、現代の状況の差分としては、生成 AI の登場によってフェイクニュースや炎上記事の作成が容易になったことが挙げられます。

かつては画像や動画はニュースの信憑性を裏付けるものでした。なぜなら、画像や動画を捏造するのは、コストが高かったためです。現代では、画像生成 AI や動画生成 AI の登場、人の顔を入れ替えるディープフェイク、人の声を入れ替えるディープボイスなどにより、旧来はコストが高くてなかなか行えなかった巧妙なフェイクニュースが容易に作成できるようになりました。

そのため、現代では全てのニュースについて、一度立ち止まって考えたほうが良いという状態になってしまっています。特に SNS で拡散されているニュースは危険です。

2023 年 5 月には「米国防省近くで爆発」という情報がブルームバーグ通信を装う Twitter アカウントから発信され、ダウ平均株価が一時的に下落するという事件が起きました。このツイートには AI で生成された米国防省の爆発画像が添付されていました。そして、ロシアの国営テレビ RT のアカウントがこの画像を引用して報じ、さらにそれをインドの主要テレビ局がそれを引用するという形で拡散していき、最終的に株価の下落へと繋がっていくことになりました。現代は加害者にならないためにも「立ち止まる力」「判断を保留する力」が求められる時代となっています。

コミュニケーション

	キーワード
効果的な コミュニケーション	コミュニケーション、直接コミュニケーション・間接コミュニケーション、同期性、同期コミュニケーション、非同期コミュニケーション
インターネット上の コミュニケーション	即時性、利便性、匿名、SNS、ソーシャルメディア

　この項はコミュニケーションのあり方の違いについて、インターネット以前のコミュニケーションと、インターネット以後のコミュニケーションを対比させることで、オンラインのコミュニケーションとはどういうモノかという話をしています。この項は教科書の内容というよりも、歴史の確認と筆者の個人見解です。

　PC とインターネットが普及し、コミュニケーションのあり方が変化したのは、おおよそ、1998 年から 2002 年頃です。1998 年にインターネットブラウザを標準搭載した Windows 98 が登場し、ウェブサイトを閲覧するのにソフトウェアのセットアップ等が不要になったのです。1999 年には docomo の i-mode がサービスを開始し、2001 年には数 Mbps の通信速度を持つ ADSL がサービス開始しました。

　インターネットサービスとしては、1999 年にブログサービスの Blogger が創業し、日本国内では 2002 年ごろよりブログブームが訪れます。OSS のブログサービスの tDiary は 2001 年に公開され、はてなダイアリーが 2003 年に登場しました。その後 SNS サービスの時代へと移り変わっていきます。mixi は 2004 年にサービスを開始し、Facebook は 2006 年にサービスを一般公開し、Twitter（現・X）も同年の 2006 年にサービスを開始しました。

　筆者の個人的な見解としては、2000 年ごろを境目に、公開日記やブログを通じて「人への働きかけを行わない、自己の考え・思いの情報発信」という、新しいコミュニケーション形態が生まれたと考えています。そしてこれが、ミスコミュニケーションの原因の一つになっていると考えています。

インターネットが普及する以前の個人間のコミュニケーションとは、対面か電話、手紙が中心で、１対１のものでした。すなわち、個人対個人のメッセージというのは、相手に対する強い意志を持ったものであり、人に対する強い働きかけでした。

　たとえば、「うちの子供が勉強しないの」という親の愚痴のようなメッセージが Twitter 上にあったとします。この文章をそのまま読むと「情報発信者の子供が勉強していない」という情報が読み取れますが、このメッセージを「働きかけ」や「意図があるもの」だと認識すると、「うちの子供が勉強しないので助けてほしい」というように読み取ってしまいます。

　このほかにも、社内チャットで Twitter での呟きのような形で情報共有をしている人を見ると、混乱してしまい、場合によっては怒り出す人もいます。「コミュニケーションとは人に対する働きかけであり、何らかの意図がある」という信念の人は、他人の呟きが自分や誰かへの働きかけのように見えるため、意図のない発言や情報共有のメッセージというのが理解できず混乱してしまうのです。人によっては仕事の情報共有が「どうして仕事をしていないんだ」という詰問に感じてしまうのです。

　インターネットの普及以後に発達した「意図が無いメッセージ」や「働きかけが無いメッセージ」という新しいコミュニケーションスタイルは、普及してからまだ 20 年程度しか経っていません。筆者の個人的見解ですが、上の世代になればなるほど、このコミュニケーションスタイルが理解できない人の割合が増えていっており、これがミスコミュニケーションの一因になっていると考えています。

情報デザインと表現の工夫

	キーワード
情報デザインの考え方	情報デザイン、ユニバーサルデザイン、アクセシビリティ、色相・色相環、明度、彩度
表現の工夫	レイアウト、トリミング、インフォグラフィックス

　本項については、筆者はデザインの専門家ではないので割愛させてください。筆者は『ノンデザイナーズ・デザインブック』(マイナビ出版)でデザインの勉強をしましたので、筆者からの解説に替え、こちらを推薦しておきます。同書では、デザインのプロではない人に向け、短時間でわかりやすいデザインを作るためのコツとして「近接」「整列」「反復」「コントラスト」という4つの原則を紹介しています。

　関係する要素は近くにまとめて近接させる。コンテンツを整列させることで、見えない線を作り出し視線の流れを誘導する。規則的な反復構造を用いることで、情報を構造化させる。情報の強弱を作り出すことで、メッセージが正しく伝わるようにする。こういった内容を、駄目なデザインと改良後のデザインの対比を通じて紹介しているため、読み物としても面白く、サッと目を通すことができます。とりあえず一読しておいて損はない本です。

　アクセシビリティについては、色覚多様性に対する配慮を紹介します。人間の目には色を感知するための3種類の錐体細胞が存在し、これにより色を認識します。色覚多様性とは、この3種類の錐体細胞のうち、一部を欠損しており、特定の色や配色が見えづらい症状を指します。

　ウェブサイトやゲームのユーザーインターフェース(UI)のデザインでは、色覚多様性の人々が利用しやすいよう、色彩設計を工夫する必要があります。たとえば、重要な情報を色だけで表現するのではなく、形や文字など、他の視覚的な手段を用いて伝えることが求められます。

コンテンツの制作

コンテンツの制作	キーワード
コンテンツ設計	プレゼンテーション、コンテンツ、スライド、プランニングシート、頭括式・尾括式
スライド制作と発表	ひな型（テンプレート）、リハーサル、ノンバーバルコミュニケーション、質疑応答、フィードバックシート

　この項はプレゼンテーションの作り方、やり方なので割愛しますが、頭括式と尾括式については少しだけ説明します。頭括式とは、総括を最初に話してから、総括を補強するための材料を話す方式です。尾括式は頭括式の逆で、さまざまな要素を話し、最後にそれらから総括を話す方式です。尾括式は最後まで聞かないと結論がわからないという問題があります。

　ビジネスでは、これらを統合した双括式によるプレゼンテーションが好まれます。最初に結論を話し、それを補強する材料を論じ、最終的に総括した結論を話すというスタイルです。

　プレゼンテーションをうまく伝えるには、聴衆の心の中でプレゼンテーションの次の展開を予測させることが有効です。予測とプレゼンテーション内容との乖離が「理解」へと繋がっていきます。音楽で同じフレーズが何度も使われるのと一緒です。予測させることと、予測からのズレが面白さに繋がっていくのです。人は予測もしていないことをぶつけられると混乱してしまいます。プレゼンテーションの最初に結論を話すことで、プレゼンテーション内容をうまく予測させることができるのです（これは双括式の書き方）。

情報の表し方

	キーワード
デジタル表現の特徴	アナログ、デジタル
2進数と情報量	2進数・2進法、情報量、ビット、バイト

　デジタルとは何か、を考えるためには、まず英語の "digital" とは何か考えましょう。これは "digit+al" です。digit は「(個々の) アラビア数字」を意味し、形容詞語尾の -al は「〜の性質の」や「〜式の」を意味します。したがって、たとえば "a digital clock" は「数字式の時計」となります。つまり、語源的には数字で表現された情報は、基本的に全て「デジタル」なのです。

　一方で、アナログ (analog) とは、「似ている」「類似品」という意味です。技術や工学の分野では、ある物理量が、別の物理量と似ている、同じであると見立てることです。もともとはギリシャ語の "analogos" に由来し、"ana-"（〜によると）と "logos"（比率、理由）が組み合わさった言葉です。

　たとえば、アナログ式時計は、人間が針の角度を読み取ることで、時間を知ることができます。針の角速度は常に一定であり、経過時間と針の角度が比例関係にあります。アナログ式温度計は、温度により赤く着色された灯油が膨張し、温度が長さという物理量に変換されます。そして、人間が長さを読み取ることで、温度を知ることができます。つまり、ある物理量と別の物理量の対応関係を利用するのがアナログ式です。そして、物理量（長さや温度や電圧や電流）というのは基本的に連続値です（1 cm と 2 cm の間の距離にある長さはいくらでも存在する）。

　一方で、デジタル時計やデジタル温度計では、物理量を最初から数字で表現します。数字で表現する場合、離散値（飛び飛びの値）で表現されます。たとえば、小数点以下 1 桁まで表現できる温度計では「36.5℃」と「36.6℃」は表現できますが、その中間の値は表現できません。これが、デジタルの特徴です。アナログ式であれば「35.55℃」に相当する物理量は存在します。

一見逆説的ですが、「値が離散値であり、表現できない値が存在すること」というのがデジタルの価値なのです。なぜならば、離散値であれば、誤りなく伝えることができるからです。また、適度な桁で捨てられていることも大切です。連続値を数字で正確に伝えるには、無限に続く小数点以下の値を述べなければならないので、無限の時間がかかるからです。適度な粗さの離散値は適切な情報量（通信時間）で伝えることができるのです。

　アナログの連続値は伝送の過程でノイズが乗り、元の情報が損なわれてしまうという問題もあります。これを「数字や言葉を使わないで人から人に情報を伝える伝言ゲーム」で考えてみましょう。

　アナログの連続値、たとえば「自分の親指の長さ」という物理量を伝えたいとしましょう。最初の人は、自分の親指の長さと同じだけの長さの紐を作って、次の人に渡します。紐を渡された人は、また同じ長さの紐を作って次の人に渡します。これが何回も繰り返されたらどうなるでしょうか？　寸分違わぬ長さで伝わるのは不可能でしょう。ひょっとしたら紐の長さは何倍にもなっていたり、半分以下になっていたりするかもしれません。

　この思考実験は、連続値を連続量のまま伝えようとすると、伝送の過程でノイズが乗り、ノイズが増幅されていく様を示しています。アナログの値は物理量なので、物理的な仕組みで取り扱いやすい反面、情報を伝える過程で変質してしまい、正しく情報を伝えることが困難なのです。

　これが「7cm」という離散値のデジタル情報であれば、紐に7つの結び目を作って表現することができます。この紐を次の人に渡すことで、次の人は同じように7つの結び目がある紐を作ることができます。結び目が意味を持っているとわかっている人同士でこの伝言ゲームを繰り返すと、紐の長さは最終的には変わるかもしれませんが、7つの結び目がある紐であることは変わらないはずです。これがデジタルの力です。離散値は値を正確に伝えることができるのです。ちなみに縄の結び目で情報を伝える手法は、世界中の多くの文明で用いられており、日本ではアイヌや琉球で用いられていたようです。

　コンピュータはその物理的な特性から、内部的には2進数で動作しています。2進数と10進数が互換であることを知ることで、前述の離散値を2進数で伝達できることが理解できます。2進数における1桁の数字をビット（bit）と言います。ビット数が増えると、1ビットごとに表現できる値（種類）は2倍

ずつ増えていきます。2 bit では 4 種類、3 bit では 8 種類、4 bit では 16 種類の情報を区別することができます。

　人間が日常生活で使っている 10 進数を 2 進数に変換するには、2 で割り商と余りを求め、その商をさらに 2 で割る、という操作を繰り返し、最後に余りを逆順に読み取るという操作を通じて求めることができます。それでは、10 進数の 174 という値を 2 進数に変換してみましょう。

$$
\begin{array}{rcccccc}
174 & \div & 2 & = & 87 & 余り & 0 \\
87 & \div & 2 & = & 43 & 余り & 1 \\
43 & \div & 2 & = & 21 & 余り & 1 \\
21 & \div & 2 & = & 10 & 余り & 1 \\
10 & \div & 2 & = & 5 & 余り & 0 \\
5 & \div & 2 & = & 2 & 余り & 1 \\
2 & \div & 2 & = & 1 & 余り & 0 \\
1 & \div & 2 & = & 0 & 余り & 1 \\
\end{array}
$$

余りを下から上に
読み取ると
10101110
が答えになる

　2 進数を 10 進数に変換するには、2 の累乗をそれぞれの桁に掛けることで求められます。

$1 \times 2^7 + 0 \times 2^6 + 1 \times 2^5 + 0 \times 2^4 + 1 \times 2^3 + 1 \times 2^2 + 1 \times 2^1 + 0 \times 2^0$
$= 1 \times 128 + 0 \times 64 + 1 \times 32 + 0 \times 16 + 1 \times 8 + 1 \times 4 + 1 \times 2 + 0 \times 1$
$= 128 + 32 + 8 + 4 + 2$
$= 174$

　現代のコンピュータでは、8 bit をまとめて 1 byte（バイト）として扱います。かつては、1 byte は 1 つの文字を表すために必要な情報量として定義され、コンピュータの種類よって 1 byte は 5 bit から 10bit までマチマチでした。

　アルファベットは 26 文字なので、大文字だけであれば 5 bit(32 種類) あれば表現することができます。大文字小文字と数字を全部表現しようとすると 62 文字なので 6 bit(64 種類) 必要です。さらに記号まで表現しようとすると

7 bit(128 種類) が必要です。この 7 bit で大文字小文字数字記号制御コードを表現する文字体系として規格化されたものが ASCII コードです。ASCII は American Standard Code for Information Interchange（情報交換用米国標準コード）の略で、1963 年に策定されました。

その後、IBM から System360 という大型汎用コンピュータ(メインフレーム) が 1965 年に発売されました。同機は 1 文字 7 bit の ASCII コードを採用しつつも 1 byte= 8 bit とし、余剰の 1 bit をパリティビット（エラーチェック用のビット）に利用しました。同機が爆発的にヒットした結果、多くの CPU はそれに倣うことになり、 1 byte= 8 bit がデファクトスタンダードとなりました。最終的に 2008 年に国際標準化組織である ISO/IEC によって 8 bit= 1 byte と正式に定義されました。実は半世紀以上の間、1 byte の定義が無かったのです。

ビット数	バイト	取り扱える数、種類	概数
1		1	
2		4	
4		16	
8	1	256	
16	2	65,536	
32	4	4,294,967,296	約 42 億
64	8	18,446,744,073,709,551,616	約 1800 京
128	16	3.4×10^{38}	約 340 澗（340 兆の 1 兆倍の 1 兆倍）

32bit CPU や 64bit CPU という言葉を聞いたことがある人も多いでしょう。これは、計算の最小単位において、何ビットのデータを同時に取り扱えるのか、を示しています。現代のパソコンやスマートフォンは基本的に 64bit CPU です。

コンピュータ関連の資料を読むには、まず SI 接頭辞の理解が必要です。これはコンピュータは極めて高速に動作し、そしてまた大量のデータを取り扱うため、普段の生活で目にするような数字の範囲では対応できないからです。コンピュータでは、MHz、GHz、GB、TB、ms、μs、ns、というような SI 接頭辞付きの単位が飛び交っています。これらを正しく理解するためにも、接頭辞の理解が必要なのです。

接頭辞	記号	累乗表記	10 進数表記	漢数字	英語
エクサ (exa)	E	10^{18}	1,000,000,000,000,000,000	百京	quintillion
ペタ (peta)	P	10^{15}	1,000,000,000,000,000	千兆	quadrillion
テラ (tera)	T	10^{12}	1,000,000,000,000	一兆	trillion
ギガ (giga)	G	10^{9}	1,000,000,000	十億	billion
メガ (mega)	M	10^{6}	1,000,000	百万	million
キロ (kilo)	k	10^{3}	1,000	千	thousand
ヘクト (hecto)	h	10^{2}	100	百	hundred
デカ (deca)	da	10^{1}	10	十	ten
		1	1	一	one
デシ (deci)	d	10^{-1}	0.1	一分	tenth
センチ (centi)	c	10^{-2}	0.01	一厘	hundredth
ミリ (milli)	m	10^{-3}	0.001	一毛	thousandth
マイクロ (micro)	μ	10^{-6}	0.000001	一微	millionth
ナノ (nano)	n	10^{-9}	0.000000001	一塵	billionth

　日常で良く使われるヘクトやセンチは、コンピュータ関連ではまず使いません。また、これよりも上や下の単位もありますが、コンピュータの世界ではエクサやナノ程度までを利用しています。

　キロやメガといった SI 接頭辞は、英語と同様に 1000 ごとに変わります。一方で日本語では 1 万ごとに、万、億、兆と呼び方が変わっていくので、日本語と SI 接頭辞では単位の切り替わるタイミングが違うため、日本人にはな

かなか覚えづらいものがあります。コツとしては、100万 = 1,000,000 = 10^6 = 1メガ = 1ミリオン を基準点として覚えておくと、英語資料やコンピュータ関連の文献が読みやすくなります。

SI接頭辞は1000ごとに値が変わりますが、データ容量や通信などの情報量が絡む分野では、1024を基準に使うことがあります。これは、1000 ≒ 1024 = 2^{10} であることを利用しています。たとえば、1kB=1024B、1MB = 1024kB、1GB=1024MB といった具合です。また、1000 ≒ 1024 = 2^{10} を知っておくと、2の累乗が出てきたときに概算が簡単になります。

1024を基準とした単位をキロやメガなどのSI接頭辞と同じ呼び方をすると、1000倍なのか1024倍なのかがわかりにくいため、1024を基準とする2進接頭辞が新たに作られました。1024を基準にしていることを明確にしたい場合、2進接頭辞を使うことが推奨されています。しかし2進接頭辞は1998年の策定から20年以上経ってもあまり普及しておらず、教科書にも義務的に載っている程度なので、本書でも紹介に留めておきます。

呼び方	記号	累乗表記	10進数表記	関係性
エクスビ（exbi）	Ei	2^{60}	1,152,921,504,606,846,976	1Ei = 1024Pi
ペビ（pebi）	Pi	2^{50}	1,125,899,906,842,624	1Pi = 1024Ti
テビ（tebi）	Ti	2^{40}	1,099,511,627,776	1Ti = 1024Gi
ギビ（gibi）	Gi	2^{30}	1,073,741,824	1Gi = 1024Mi
メビ（mebi）	Mi	2^{20}	1,048,576	1Mi = 1024Ki
キビ（kibi）	Ki	2^{10}	1024	1Ki = 1024

余談ですが、プログラミングを行う際に覚えておくと便利なのが、100万 = 1メガという感覚です。これを利用すると「100万個のデータは、最近のCPUであれば数秒以内に処理できる」という肌感覚を持つことができます。

これは次のように計算できます。1件のデータを処理するのに1k回の計算を行う必要があるとする。そして、データが1M個あるとすると、全てを処理するには1G回の計算が必要である（1k × 1M = 1G）。したがって、1Hz

あたりに１回の計算を行っている CPU があるとすると、１GHz で動作していれば毎秒１G 回の計算が行えるので、処理は１秒で終わる。

また１M 個のデータサイズがそれぞれ１kB の大きさを持っているとしたら、合計で１GB になります（1kB × 1M = 1GB）。この程度であれば、現代のコンピュータのメモリには余裕で乗ります。一方でデータサイズが１件あたり１MB であれば、合計では 1MB × 1M=1TB になるため、個人利用のパソコンのメモリに乗せることは困難である、ということがわかります。

もちろん、処理の複雑さや、計算の仕方、データ１件あたりの情報量に依存しますが、「100 万個くらいなら余裕だろ」という感覚は、一台のコンピュータで処理できるかどうかの分水嶺なので、要件定義の際に必要となってきます。

情報を学んだ人向けに詳しく書いておくと「１M 個程度のデータであれば、O(N logN) のアルゴリズムは、現実的な時間で動作する」となります。この感覚があると、愚直に実装してよいのか、アルゴリズムを工夫して計算量を削減する必要があるのか、複数のコンピュータで分散処理する必要があるのか、の見極めができるようになってきます。

コンピュータでのデジタル表現

	キーワード
数値の表現	10 進数、16 進数
文字のデジタル表現	文字コード、文字化け、UTF-8
音の表現	周波数・ヘルツ、周期、標本化・量子化・符号化、標本化周期・標本化周波数
画像の表現	光の三原色、画素（ピクセル）、標本化・量子化・符号化、解像度、階調
動画の表現と ファイル形式	フレーム、フレームレート、圧縮・可逆圧縮・不可逆圧縮

　コンピュータを触っていると時折 16 進数で値が表示されたり、16 進数で値を入力しなくてはならないことがあります。1 byte は 16 進数なら 2 桁で表現できるため、10 進数 3 桁で 1 byte の値を記述するよりも便利であるためです。16 進数の用途としては次のようなものがあります。

- ●通信
  - ○コンピュータの LAN カードが持っている固有 ID である MAC アドレス
  - ○ IPv6 アドレス
- ●暗号化や通信、ファイル作成などの高度なプログラミング
- ●ファイルのハッシュ値（ファイルが持つ固有の ID、ファイルが変更されるとハッシュ値はがらりと変わるため、変更を検知できる）
- ●ハードウェアの制御
- ● UUID（コンピュータがランダムに振る 128bit の ID）
  - ○一例：cc14e6ce-154a-4df1-80b0-171186f98579
- ●カラーコード
  - ○一例：#FFC0CB はピンク色

　最近は HTML における色指定も 10 進数で行えるため、基本的に高度なプログラミングやハードウェアが絡むプログラミングをしない限り、16 進数を入

力する機会はないと思います。とはいえ、16進数で表示されるエラーコードなどは時折見かけることがあると思うので、解説をしておきます。

16進数を表現するためには、16種類の文字が必要です。しかし人類は10種類の数字しか持たないため、A〜Fまでのアルファベットを数字と見立てて借用して利用しています。10進数と2進数、16進数の対応表を以下に示します。A〜Fは、10〜15を意味する数字です。

10進数	2進数	16進数
0	0000	0
1	0001	1
2	0010	2
3	0011	3
4	0100	4
5	0101	5
6	0110	6
7	0111	7
8	1000	8
9	1001	9
10	1010	A
11	1011	B
12	1100	C
13	1101	D
14	1110	E
15	1111	F

続いて、10進数のある値を16進数に変換することを考えてみましょう。2進数を経由して16進数を求める方法と、直接16進数を求める方法があります。2進数を経由するには、2進数表記の数字を下から4桁ずつ区切り、それぞれを16進数に変換します。

174 → 10101110 → 1010 1110 → AE

なぜ4桁ずつ区切るのかというと、2進数で4桁は2^4=16通りの情報を示すことができるため、16進数の1桁にそのまま対応するためです。

また、10 進数から 16 進数を直接求めるには、16 で割った商と余りを利用します。

174 ÷ 16 = 10 余り 14

「10 余り 14」を 16 進数に変換すると「A 余り E」なので、10 進数の 174 は、16 進数では AE となります。ただしこれは 255 までの値しか利用することができません。それ以上の値では商をさらに 16 で割るという手続きが求められます。

ASCII コードは英語のアルファベットと記号のみを対象としています。そのため、日本語を表現するために、さまざまな文字コードが作られました。たとえば、JIS X 0201 コードは、7 bit の ASCII コードを 8 bit に拡張し、拡張された領域にカタカナ文字を入れ、1 byte でアルファベットとカタカナを表現できるようにしました。16 進数で B1 は「ア」を表します。これがいわゆる「半角カナ」です。

下位4ビット \\ 上位4ビット	0	1	2	3	4	5	6	7	8	9	A	B	C	D	E	F
0			SP	0	@	P	`	p			─	タ	ミ			
1			!	1	A	Q	a	q			。	ア	チ	ム		
2			"	2	B	R	b	r			「	イ	ツ	メ		
3			#	3	C	S	c	s			」	ウ	テ	モ		
4			$	4	D	T	d	t			、	エ	ト	ヤ		
5	制御コード（省略）		%	5	E	U	e	u	未定義		・	オ	ナ	ユ	未定義	
6			&	6	F	V	f	v			ヲ	カ	ニ	ヨ		
7			'	7	G	W	g	w			ァ	キ	ヌ	ラ		
8			(	8	H	X	h	x			ィ	ク	ネ	リ		
9			)	9	I	Y	i	y			ゥ	ケ	ノ	ル		
A			*	:	J	Z	j	z			ェ	コ	ハ	レ		
B			+	;	K	[	k	{			ォ	サ	ヒ	ロ		
C			,	<	L	¥	l	|			ャ	シ	フ	ワ		
D			-	=	M	]	m	}			ュ	ス	ヘ	ン		
E			.	>	N	^	n	‾			ョ	セ	ホ	゛		
F			/	?	O	_	o	DEL			ッ	ソ	マ	゜		

※ SP はスペース、DEL は文字削除

日本語は歴史的な経緯から、EUC-JP や、Shift-JIS、JIS コード（ISO-2022-JP）など、さまざまな文字コードが存在しており、どのようなバイト列がどのような文字列を表すことになるのかは、それぞれの文字コードによって異なります。現代では文字コードは UTF-8（Unicode）に収斂（デファクトスタンダード化）しました。特段の理由がない限り、UTF-8 を使うことが推奨されます。

　いわゆる文字化けとは、送信時に利用した文字コードと、受信時に利用した文字コードが食い違うことで発生します。以下は文字化けの一例です。UTF-8 で送信したメッセージを、Shift-JIS として受信するとこのような表示になってしまいます。

UTF-8	このメールは皆様へのメッセージです。
Shift-JIS	縺薙・繝。縺ｼ繝ｧ繝ｮ縺ｯ 繝ｼ縺ｮ逧・ァ佗∈縺ｮ繝。繝・そ繝ｼ繧ｯ縺ｧ縺吶 € ・

https://ja.wikipedia.org/wiki/%E6%96%87%E5%AD%97%E5%8C%96%E3%81%91 より引用

　画像とは、人間の目が認識できる色（赤・緑・青）を数値化し、格子状に並べたデータとして表現されます。なぜ赤・緑・青の 3 つの色かというと、人間は 3 種類の錐体細胞を持っており、これがそれぞれ異なる波長の光に反応するためです。すなわち、色とは 3 種類の細胞への刺激の比率で表現されるのです。従って、光の波長はさまざまですが、3 種類の細胞がよく反応する代表的な 3 つの色の情報だけで、人間が感じる色は再現できるのです。

　現代の標準的な Full-HD のテレビは、1920 × 1080 の解像度を持っています。それぞれのドットに R（赤）G（緑）B（青）の色があり、それぞれの色は 8 bit(256 階調) で表現されます。従って Full-HD 解像度の画像は、1920 × 1080 × 3 byte ≒ 6 MB の情報量を持つことになります。

　多くの画像フォーマットは色を 1 色あたり 256 階調（8 bit）で表現します。これはちょうど 1 byte なのと、人間の目が 256 段階よりも細かくても、あまり認識できないためです。もちろん、高級なカメラになると 1 色あたり 10bit やそれ以上で記録するものもあります。こういった画像は RAW 画像（RAW は生の意味、センサーからの生データが記録された画像という意味）と呼ばれています。

　普段使われているディスプレイは、基本的には 8 bit の入力しか受け付けな

いため、RAW 画像は表示できません。また 12bit 中下位 10bit しか使われていないといったことも起こります。そのため、RAW 画像の色情報を 8bit の空間に適切に変換する処理が必要です。これがデジタル写真における「現像」というプロセスになります。

　人間は RGB の 3 つの色しか見れませんが、「人間が見る」のでなければ多数の波長を活用することもできます。例えば人工衛星では複数の波長で地表を観測しており、気象庁が運用するひまわり 8 号では、16 種類の波長を利用して地表と大気を観測しています。色とは光の 3 原色で 3 色である、というのは人間の特性に合わせているからに過ぎないのです。コンピュータが見る画像は 16 色だったりします。

第 6.2.1 表　ひまわり 8 号の観測バンド

バンド		中心波長 (μm)	ひまわり 6 号、7 号 相当	解像度 衛星直下 点 (km)	階調数	用途
1	可視	0.47		1	2,048	植生、エーロゾル
2		0.51				植生、エーロゾル
3		0.64	VIS	0.5		下層雲・霧、植生
4	近赤外	0.86		1	2,048	植生、エーロゾル
5		1.6		2		雲相判別
6		2.3				雲粒有効半径
7	赤外	3.9	IR4	2	16,384	下層雲・霧、自然火災
8		6.2	WV		2,048	上層水蒸気量
9		6.9				上・中層水蒸気量
10		7.3			4,096	中層水蒸気量
11		8.6			4,096	雲相判別、SO$_2$検出
12		9.6			4,096	オゾン全量
13		10.4	IR1		4,096	雲画像、雲頂情報
14		11.2				雲画像、海面水温
15		12.4	IR2			雲画像、海面水温
16		13.3			2,048	雲頂高度

https://www.jma.go.jp/jma/kishou/books/yohkens/21/chapter6.pdf より引用

　映像は、画像を高速に切り替えることで実現されています。映画は 1 秒間に 24 回、画像を切り替えています。地上波デジタル放送は秒間 30 回、PC やゲーム等では秒間 60 回画像が更新されています。

　先ほど Full-HD（1920 × 1080）の画像は 1 枚 6 MB の情報量を持つという話をしました。ということは、単純計算では、地上波デジタル放送は 6 MB の画像を毎秒 30 枚送信しており、毎秒 180MB のデータを放送で流しているこ

とになります。これが映画 1 本分相当、2 時間となると 180MB/s × 3600s × 2 = 1296000MB ≒ 1.3TB になります。一方で DVD は 1 層で 4.7GB、ブルーレイディスクは 1 層で 25GB しかありません。1.3TB の動画は入りそうにありません。

　不可能を可能にするために、不可逆圧縮と差分圧縮という技術が使われています。不可逆圧縮とは、単に情報を圧縮するのではなく、人間にとって重要な部分を残し、人間が気づきづらい部分の情報を捨てる技術です。

　以下は JPEG による情報圧縮の例です。筆者が撮影した東京駅の画像（1024 × 1024）を用い、上から順に、PNG ファイル、JPEG（品質 90）、JPEG（品質 1）となっています。

　ファイルサイズは 1024 × 1024 の画像なので、無圧縮であれば 1024 × 1024 × 3 = 3MB になるはずです。可逆圧縮（品質劣化しない）である PNG は 1750KB、不可逆圧縮（品質劣化する）である JPEG（品質 90）は 403KB、JPEG（品質 1）は 50KB となっています。このように、不可逆圧縮を利用することで、人間が認識しづらい部分の情報を減らすことで、情報量を大きく減らすことができます。

　PNG ファイルと JPEG（品質 90）とでは、肉眼ではほとんど違いがわかりませんが、ファイルサイズは 1/3 程度になっています。一方で品質パラメータを限界まで下げていくと、階調が減っていき、あからさまに画質が悪くなっていっています。

　差分圧縮とはデータ間の差異だけを保存することです。多くの動画では、次々と画像が切り替わっていきますが、画像と画像の間は連続していて、ほとんどの場所で同じような色をしており、変化している場所（動きがある場所）は全体のうちの一部であるはずです。従って、変化している部分のみを保存することで、情報量を大きく削減できるのです。

　地上波デジタル放送では、約 16Mbps（毎秒 2 MB）程度の動画が流れています。生データのままでは毎秒 180MB のデータになるはずが、わずか毎秒 2 MB まで小さくなっているのです。これが不可逆圧縮と、差分圧縮の力です。

PNG ファイル
（1750KB）

JPEG（品質 90）
（403KB）

JPEG（品質 1）
（50KB）

情報機器とコンピュータ

	キーワード
さまざまな情報機器	情報機器、組み込み機器
ハードウェアと ソフトウェア	ハードウェア、五大装置、ソフトウェア、 オペレーティングシステム、アプリケーションソフトウェア

「コンピュータ」とは、パソコンやスマートフォンのような、任意のアプリケーションを実行して、汎用的にさまざまなサービスを提供するものだけではありません。決済端末や自動販売機のような、特定の機能を提供する装置の中にも半導体集積回路は含まれており、その上でソフトウェアは動いているのです。このような装置は、装置の中にコンピュータが組み込まれていることから、組み込み機器（Embedded system、embedded は「埋め込まれた」という意味）と呼ばれています。

　コンピュータの五大装置とは「演算装置」「制御装置」「記憶装置」「入力装置」「出力装置」からなります。これは 1950 年代のコンピュータの説明に端を発したものだと考えられます。当時は、それぞれの機能に対して大規模なハードウェアが存在していたため、「装置」と翻訳されていますが、現代では「機能」という程度の認識で差し支えありません。また、次の図はコンピュータの説明のための模式的なものであることに注意してください。試験には出てきますが、覚えたところでコンピュータが扱えるようになるわけではありません。

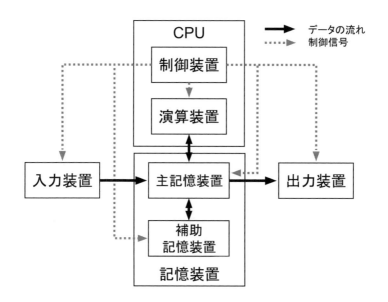

　演算装置と制御装置は現代では CPU の中に入っています。演算装置は主記憶（メインメモリ）から命令を受け取り、命令を実行し、メインメモリとの間でデータの読み書きを行います。

　記憶装置は、主記憶装置と補助記憶装置に分かれます。これは CPU が即座にアクセスできる主記憶装置（メインメモリ）と、CPU が即座にアクセスすることはできないが、電源を切ってもデータを保存することができる補助記憶装置（HDD や SSD、テープメディア、DVD など）からなります。

アルゴリズムと基本構造

	キーワード
アルゴリズム	アルゴリズム、プログラム、フローチャート（流れ図）
アルゴリズムの基本構造	順次構造、選択構造、繰り返し構造、構造化プログラミング

　アルゴリズムとは、順次構造（上から順に実行する）、選択構造（条件によって別のものを実行する）、繰り返し構造（一定の条件内において同じものを繰り返す）の３つを基本構造として、物事の手順をプログラムとして規定し、目的を達成する仕組みです。

　アルゴリズムは簡易的な説明のためにフローチャートで記述されることがあります。フローチャートには IIS で定義されたさまざまな記号がありますが、一般的に使われるのは次の通りです。

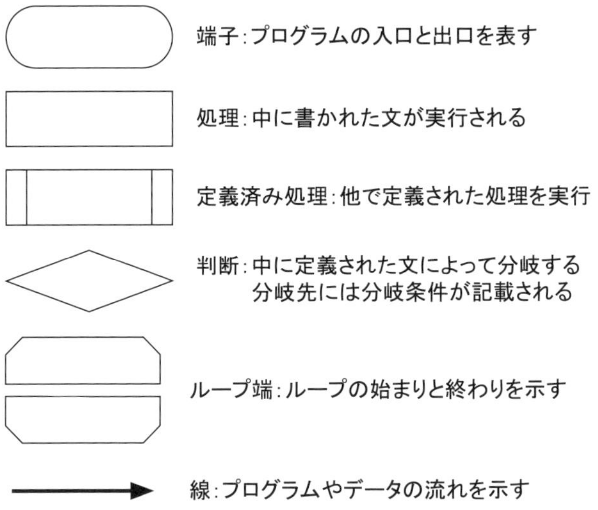

端子：プログラムの入口と出口を表す

処理：中に書かれた文が実行される

定義済み処理：他で定義された処理を実行

判断：中に定義された文によって分岐する
　　　分岐先には分岐条件が記載される

ループ端：ループの始まりと終わりを示す

線：プログラムやデータの流れを示す

このフローチャートを使って、カレーの作り方を記述すると次のようになります。この図では、ループ端を利用せずに、判断の分岐先をプログラムの前方にすることで繰り返し構造を実現しています。

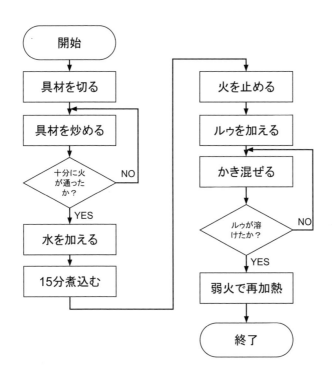

このような手順で記述すると、次に何を行えばよいのか、どのような判断基準で何をするのかが明確になってきます。この例では、具材を炒めるところや、ルゥを溶かすためにかき混ぜ続ける部分で繰り返し構造が使われています。

フローチャートは、プログラミング言語に依存しない図形によるアルゴリズムの記述方法です。大昔はフローチャートを描いてからプログラムを作成していたそうですが、現代のプログラムの開発においてフローチャートが使われることはまずありません。現代のプログラムの複雑さに比べて、フローチャートでは表現力と紙面が足りないからです。

たとえば、条件分岐が多重に連なったアルゴリズムについて、フローチャートとC言語風の疑似コードを比較してみましょう。

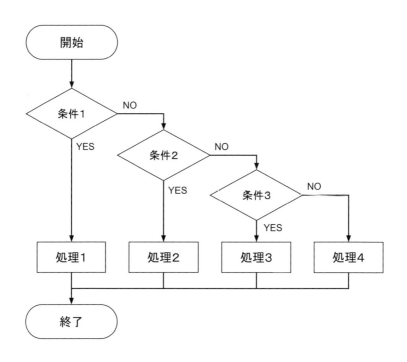

```
if ( 条件 1 ) {
  処理 1();
}
else if ( 条件 2) {
  処理 2();
}
else if ( 条件 3) {
  処理 3();
}
else {
  処理 4();
}
```

　普通のプログラミングであれば、単に if と else を並べるだけのものであっても、フローチャートに書き起こすと横にどんどん長くなっていってしまいます。もちろん書き方次第ですが、これでは紙面がいくらあっても足りません。

1950 年代は、フローチャートを描いてアルゴリズムを作成し、そこから手作業で機械語に起こし、パンチカードに穴を開け、パンチカードを機械に読み取らせて、プログラムをメモリに格納する必要がありました。当時はプログラムを気楽に作成・実行することができなかったので、フローチャートのようなもので十分に机上検討することが求められたのです。

　現代ではフローチャートを手書きしている時間があるなら、コードを書いたほうが圧倒的に早いのです。コードの作成・コンパイル・実行にかかるコストが格段に減ったため、フローチャートをわざわざ描いて机上検討を行い、コード作成・コンパイル・実行のコストを下げる必要はなくなりました。とはいえ、思考の整理のためにフローチャートを起こしてみることはあります。

　そのため、現代ではフローチャートは、教科書でプログラミングを学ぶ際の第一歩として使われるほか、他者にアルゴリズムを伝えるための模式図や、事務作業などの非 IT 業務の業務フローの整理、前述のカレーの作り方のような物事の大枠を示すために使われることがもっぱらです。ちなみに、前出のカレーの作り方のフローチャートは模式図なので、どの野菜を使うのか、どの肉を使うのか、どれくらいの大きさに切るのか、どれくらい炒めるのかといった詳細な情報は入っていません。

　構造化プログラミングとは、プログラミングに適切な制約（順次構造、選択構造、繰り返し構造）を与えることで、プログラムを解釈しやすくする、という考え方です。これは現代的なプログラミング言語を使っていれば、自然とそうなるので、特に意識することはないと思います。

　構造化プログラミングが求められたのは、アセンブラや COBOL、FORTRAN、BASIC といった古い言語が標準だった時代です。その際はプログラムカウンタを直接書き換えて任意のアドレスからプログラムを実行したり、goto 文でプログラムの実行箇所を任意の場所にジャンプさせるということが常態化していたのです。

　そのため、そういったプログラムでは、プログラムの流れを追うことが困難なので「構造化プログラミングというパラダイム（考え方）によって、プログラムを整理して記述しましょう」ということになりました。そして、その規範をもとに現代的なプログラミング言語は作成されています。ゆえに、現代的なプログラミング言語を使っている限りは特に意識する必要はないのです。

プログラムの基礎

	キーワード
簡単なプログラムの作成	入れ子構造（ネスト）
プログラムと変数	変数・変数名、代入、バグ・デバッグ

　今回は閏年の判定のプログラムを通じて、プログラミングの基礎を勉強してみましょう。言語は Python を利用しています。Python の実行環境の構築や、Python の文法解説は、本書のスコープ外なので詳細には記載しませんので、別途調べてください。情報 I は座学だけでなく、大量の演習とセットです。本書を読むだけでなく、手を動かしてプログラミングを勉強してください。

　グレゴリオ暦における閏年の定義は「西暦年号が 4 で割り切れる年を閏年とする、ただし例外として、西暦年号が 100 で割り切れかつ 400 で割り切れない年は平年とする」となっています。これをフローチャートによる模式図にすると次のようになります。

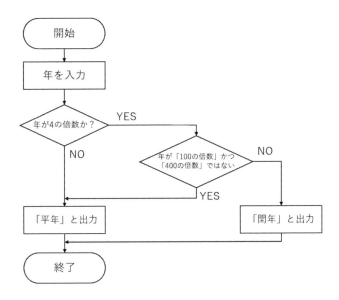

このフローチャートをそのままプログラムに起こそうとすると、goto 文が必要になってきます（1 回目の分岐の NO に、2 回目の分岐の YES を合流させる必要がある）。フローチャートとして自然であったとしても、プログラムに起こすと不自然になることがよくあります。これがフローチャートによる「プログラミング」が廃れた原因の一つだと考えています。

　そこで、変数を導入して、判定と出力を分割し、構造化プログラミングが行えるようにしていきます。先ほどのフローチャートと何が変わっているのか考えてみてください。

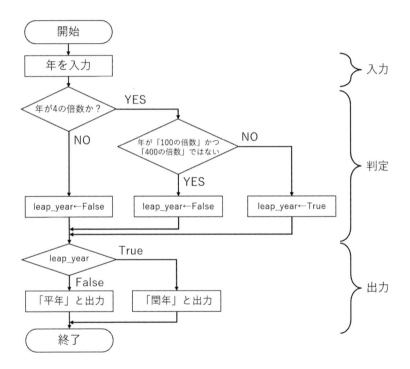

　"leap_year ← True" は、leap_year という変数に、True という値を入れるという意味です。変数に値を入れると、変数を参照することであとから格納したものを調べることができます。

　このフローチャートをプログラムに起こしてみましょう。4 で割り切れるかどうかは、余りを求め、それがゼロかどうかで判定します。余りを求めるには

剰余演算子である % を利用します。上記のフローチャートと Python のプログラムを比較して、どのような構造がどのようにプログラムに変換されたのかを考えてみてください。

```
year = 2000
if year % 4 == 0:
    if year % 100 == 0 and year % 400 != 0:
        leap_year = False
    else:
        leap_year = True
else:
    leap_year = False

if leap_year:
    print(f"{year}年は閏年 ")
else:
    print(f"{year}年は平年 ")
```

　このプログラムを実行すると、「2000 年は閏年」と出力されます。2000 年は 4 で割り切れ、100 でも割り切れ、400 でも割り切れるので、定義からすると閏年です。このプログラムに 2023 や 2004、1900 を入力して、どのような出力が行われるのかを確認してみてください。

　プログラムのバグ（不具合）には大きく分けて、構文エラー、実行時エラー、論理エラーの 3 種類があります。
- 構文エラー：コードの書き方がプログラミング言語のルールに従っていないために発生
- 実行時エラー：コードの構文は正しいが、実行中に予期しない状況（例：0 での除算）が起こりエラーが発生すること
- 論理エラー：コードが正常に実行されるものの、意図した動作や結果とは異なる動作

　プログラムのエラーは基本的には英語で出力されるため、英語を無意識に読み飛ばしてしまう人には、そもそも何のエラーが起こっているのかを認識する

ことができません。エラーが出たら、落ち着いて英語を読みましょう。パニックになってはいけません。エラーが出たからといって、パソコンが壊れるわけではありません。

デバッグに関しては、『コードが動かないので帰れません！ 新人プログラマーのためのエラーが怖くなくなる本』（翔泳社）をおススメします。英語のデバッグメッセージの読み方から、どこをどう読めばよいのか、どうすれば効率的にデバッグが行えるのか、などが記載されています。言語には JavaScript が使われています。

また、論理エラーを重点的に学ぶには、『エラーで学ぶ Scratch まちがいを見つけてプログラミング初心者から抜け出そう』（日経 BP マーケティング）をおススメします。Scratch はブロック型のプログラミング言語で、主に小中学生のプログラミング教育用途に使われています。Scratch はブロックを配置していくため、構文エラーが発生しないことを特徴としています。同書は Scratch を利用しており、小中学生向けの内容ですが、本職のプログラマのトレーニングとしても利用できる内容になっています。頭の中でプログラムを実行してみて、どうなるかを想像し考え、バグの発生を予測し、それをデバッグすることについては、プログラミング言語自体の対象年齢とは関係ないからです。

プログラムの応用

	キーワード
配列とリスト	配列、リスト、添字
関数	関数、組み込み関数、ユーザ定義関数

　配列とは、複数のデータを取りまとめて扱う仕組みです。なぜプログラミングが強力か、なぜソフトウェアが世界を書き換えているのかというと、配列とループがあるからと言っても過言ではありません。

　例えば、売上のレシートなど、同じ種類のデータがたくさんあるときに、それらを一つの「配列」としてまとめて管理することができます。そして、「ループ（繰り返し）」と組み合わせて使うことで、配列に対して、同じ処理を何度も自動的に繰り返すことができます。そのため、大量のデータを効率的に処理することができます。

　例えば、1000人分の生徒のテストの点数を自動で計算したり、大量の売上のレシートから平均客単価を求めるなどのタスクは、プログラミングを使えば短時間で完了させることができるのです。人間がこれらの操作を一つ一つ手作業で行ったのであれば、何時間もかかることでしょう。

　関数とは、一連の手続きをひと固まりにして、再利用可能にしたものです。閏年判定などは、プログラムの中で何度も使います。そのため、関数に切り出して何度も呼び出せるようにするのです。

　それでは、配列とループを使って、複数の年が閏年かどうかを判定してみましょう。

```python
# 閏年判定の関数定義
def check_leap_year(year):
    if year % 4 == 0:
        if year % 100 == 0 and year % 400 != 0:
            leap_year = False
        else:
            leap_year = True
    else:
        leap_year = False
    return leap_year

# 配列の定義
year_list = [1900, 1904, 1999, 2000, 2001, 2023,
2024]



# 配列から要素を一つずつ取り出して、閏年判定を行う
for year in year_list:
    if check_leap_year(year):
        print(f"{year} 年は閏年 ")
    else:
        print(f"{year} 年は平年 ")
```

　以上のプログラムを実行すると次のように出力されます。

1900 年は平年
1904 年は閏年
1999 年は平年
2000 年は閏年
2001 年は平年
2023 年は平年
2024 年は閏年

ちなみに、今回はアルゴリズムの例として閏年判定を自作しましたが、この程度であれば、言語の標準ライブラリに含まれています。Python では calendar ライブラリの isleap 関数が利用できます。

```python
import calendar

year_list = [1900, 1904, 1999, 2000, 2001, 2023, 2024]

for year in year_list:
    if calendar.isleap(year):
        print(f"{year}年は閏年")
    else:
        print(f"{year}年は平年")
```

　なお calendar.isleap の中身は次のようになっています。これは私が書いた閏年判定の check_leap_year 関数と全く同じ動作をします。なぜ同じ動作をするのか考えてみてください。

```python
def isleap(year):
    """Return True for leap years, False for non-leap years."""
    return year % 4 == 0 and (year % 100 != 0 or year % 400 == 0)
```

https://github.com/python/cpython/blob/3.12/Lib/calendar.py#L141-L143　より引用

モデル化

	キーワード
モデル化の基礎	モデル、モデル化（モデリング）、物理的モデル・図式モデル・数式モデル、動的モデル・静的モデル、確定的モデル、確率的モデル
モデル化（図的モデル）	図的モデル、ブロック線図、状態遷移図、アクティビティ図

　モデリングとは、現実の事象やシステムを「モデル」として表現する過程や手法のことを指します。モデルは、複雑な現実を単純化したり、理解しやすい形に再構築したりすることで、分析や予測、説明を容易にする目的で使用されます。

　モデルの種類は多岐にわたり、以下のような区分が考えられます。

●物理的モデル：現実の物体やシステムを物理的に模倣したもの。例えば、建築の模型など。

●図式モデル：物事の関係や構造を図やイラストで表したもの。例として「図的モデル」や「ブロック線図」「状態遷移図」「アクティビティ図」が挙げられます。これらは、システムの動作や流れ、状態の変化などを視覚的に表現します。

●数式モデル：数学的な式や関数で現象やシステムを表現するもの。物理現象の挙動や経済学的なモデルなどがこれに当たります。

　また、モデルの性質や特性に基づいて以下のような分類も考えられます。

●動的モデル：時間の経過とともに変化する現象やシステムを表現するモデル。例えば、成長曲線や動的シミュレーションなど。

●静的モデル：時間の変化に依存しない、ある時点の情報や状態を表すモデル。

●確定的モデル：入力となる情報が与えられると、一意の結果を予測するモデル。物理法則に基づいたモデルなど。

●確率的モデル：確率や不確実性を取り入れて、複数の可能な結果を予測するモデル。気象予報や金融モデルなどがこれに当たる。

モデリングは、実際の現象や問題を理解し、それに基づいて適切なモデルを選択・構築する技術と考え方が要求されます。正確なモデルを選ぶことで、現実の問題解決や予測、新しい知識の獲得に繋がるため、多くの学問や業界で欠かせないスキルとなっています。

　確定的モデルであっても、計算を続けていくとわずかな初期状態の違いによって結果がバラバラになることがあります（初期値鋭敏性）。これは「カオス」や「バタフライエフェクト」と呼ばれており、気象学者が気象シミュレーションを行う際に、小数点の値の丸めという非常に小さな初期状態の違いによって、多大な結果の違いが生まれたことに由来しています。これはあたかも、蝶の羽ばたきのようなわずかな初期状態の影響が、最終的に竜巻を引き起こしているかのようであったためです。

　翌日の天気予報はよく当たるのに、翌週の天気予報はあまり信頼ならないのは、これに基づいています。時間とともに誤差が拡大していくため、ほんの少しの初期値の違いが全く別の結果を生み出すのです。「計算で予測できること」と「長期的に正しく予測できること」は必ずしも一致しないのです。

　そのため、現代の天気予報では、初期値にわずかな誤差（摂動）を加え、何度もシミュレーションを行うことで、どれくらい結果がバラつくのかを調査し、そのバラツキによって予報を行っています。台風の進路の予報円を作る裏側では、何百回ものシミュレーションが行われ、そのシミュレーションのバラツキによって予報円が作られているのです。以下の図は気象庁による台風の進路予想の様子です。線の一本一本は台風の移動経路の予測を表しています。

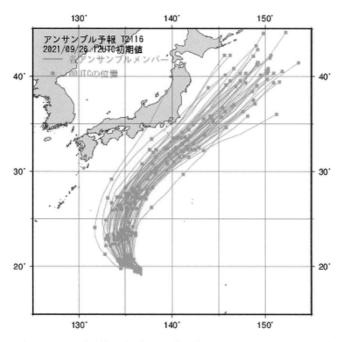

アンサンブル予報 T2116
2021/09/26 12UTC初期値
―― 各アンサンブルメンバー
■ 00UTCの位置

https://www.data.jma.go.jp/add/suishin/cgi-bin/catalogue/make_product_page.cgi?id=TaifuEns より引用

　このほかにも、カオス的な現象として物理学で有名なものに、三体問題があります。世界に惑星が２個しか存在しない場合、２つの惑星はニュートン力学に従って定常的な経路を通りますが、３つ以上の惑星が存在する場合、それぞれの重力の複雑な相互作用によって、惑星の軌道は長期的には予測不能になるのです。これは中国人作家による人気 SF 小説『三体』（早川書房）の主要テーマの一つにもなりました。

　また３章の「なぜ数学や情報技術は課題解決ができるのか？」にも数学的モデリングの話を書いているので、こちらもあわせてご覧ください。

シミュレーション

	キーワード
シミュレーションの 基礎	シミュレーション、コンピュータシミュレーション、 妥当性検証
シミュレーション （確定的モデル）	確定的モデル
シミュレーション （確率的モデル）	確率的モデル、乱数、一様乱数

　ここでは確率的モデルを学ぶために、乱数を使って円周率を求めることを考えてみましょう。これは次のような考え方でプログラムを作成します。

- ●半径 1 の円を考えると、面積は π である
- ●円を取り囲む正方形を考えると、面積は $2 \times 2 = 4$ である。
- ●したがって、正方形の中にランダムに点を落とすと、$\pi/4$ の確率で円の中に落ちる
- ●ゆえに「4 ×円の中に落ちた点の数 / 正方形の中に点を落とした回数」を求めると円周率になる
- ●円と正方形はいずれも X 軸 Y 軸において対称の構造をしているので、第一象限のみで計算しても良い

　random.random() は呼び出すたびに 0 〜 1 の間のランダムな小数の値を返す関数です。

　** は累乗の演算子です。** 2 は二乗を意味します。これらを使って円周率を確率的に計算します。

```
import random

N = 1000 # 計算回数
inside = 0 # 何回円の内側に入ったか？

for i in range(N): # N回繰り返す
```

```
#  [0,1] の乱数を生成
x = random.random()
y = random.random()
#  円の内側かどうかの判定
r = x**2 + y**2
if r <= 1:
    inside += 1  # 円の内側なのでカウント

#  円周率の計算と出力
pi = 4 * inside / N
print(f"pi={pi}, inside={inside}")
```

　このプログラムを実行したところ、円の中に入った点の数は 771、円周率は
3.084 となりました。このプログラムは乱数を利用しているため、実行するた
びに違う値を返してきます。乱数を利用して確率的な試行を元に、結果を導く
手法をモンテカルロ法と呼びます。これはモナコ公国のモンテカルロ地区がカ
ジノ産業で有名であることに由来しています。

　このプログラムが動作している様子を可視化すると、次のようになります。
この例では 100 個の点を打っています。

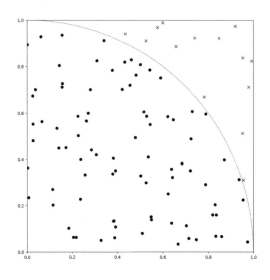

このプログラムの N を増やして、どのような挙動をするのかを観察してください。以下は N の値を替えた際の実行結果です。N の値を増やすにつれ、実際の円周率との誤差は減少していっています。これが標本平均は標本数が大きくなると、母平均に近づいていくという「大数の法則」による近似精度の向上です。これについては 3 章でも解説しています。

N	円の中に落ちた回数	近似円周率	実際の円周率との誤差
1	0	0.000000	-3.14159265
5	3	2.400000	-0.74159265
10	8	3.200000	0.05840735
50	37	2.960000	-0.18159265
100	80	3.200000	0.05840735
500	401	3.208000	0.06640735
1000	775	3.100000	-0.04159265
5000	3930	3.144000	0.00240735
10000	7870	3.148000	0.00640735
100000	78579	3.143160	0.00156735
1000000	785244	3.140976	-0.00061665

データの活用

	キーワード
データの収集	質的データ・量的データ、データの尺度水準（名義尺度、順序尺度、間隔尺度、比例尺度）、ビッグデータ、データマイニング、データサイエンス
データの分析	散布図・相関係数、箱ひげ図・四分位数

「データ」にはいくつかの種類があり、そのデータの性質によって「質的データ（カテゴリデータ）」と「量的データ」に大別されます。質的データは「名義尺度」と「順序尺度」からなり、量的データは「間隔尺度」と「順序尺度」からなります。以下の表はそれぞれの性質と例です。

質的データ 名義尺度	あるデータが他のデータと同じか違うかしか意味を持たないもの、区別のためのもの 例：名前、性別、血液型、電話番号、住所、好きな食べ物
質的データ 順序尺度	あるデータと他のデータの間に順序関係があるが、間隔が定義されていない、もしくは非線形なもの 例：順位、ランキング、5 段階評価の成績表、顧客満足度
量的データ 間隔尺度	データ同士が優劣だけでなく、単位の間隔が等しく、その差に定量的な意味があるもの（足し算、引き算ができ、平均や分散などの統計処理が行える数値） 例：温度（摂氏、華氏）、西暦、時刻、テストの点数
量的データ 比例尺度	単位の間隔が等しく原点を持つと同時に、データ間の比率にも意味を持つもの（データ同士の割り算によって比率を求められ、掛け算が行えるもの） 例：長さ、重さ、速さ、時間、温度（絶対温度、ケルビン）などの物理量、販売数量や金額、年収、年齢、割合、比率

名義尺度とは、複数の選択肢や自由入力によって作られたデータです。統計処理や比較が行えないデータです。たとえば、「氏名の平均値を求める」「血液型のＡ型とＢ型のどちらが大きいのか？」といった操作はできません。住所などの情報を統計的に利用したいのであれば、目的に合わせて、緯度経度に変換したり、緯度経度をさらに地域メッシュ統計から周辺の人口密度に変換したり、その地域の地価といったパラメータに変換する処理が求められます。

　順序尺度とは、比較はできるが統計処理は行えないデータです。たとえば企業を売上高でカテゴリ分けすると、次のようになります。「売上10億円以上」「売上5億円以上10億円未満」「売上1億円以上5億円未満」「売上1億円未満」、これらは属性の間での大小比較はできますが、算術的な処理はできません。たとえば、「『売上10億円以上』の企業20社と『売上5億円以上10億円未満』の企業50社の売上の平均値を求める」といった処理は行えません。

　間隔尺度については、温度と西暦を例にして考えてみましょう。20℃の水と、40℃の水は、差は20℃ですが、比率は2倍の温度というわけではありません。西暦800年と西暦1600年の間には800年の差がありますが、2倍の年というわけではありません。これらは、水の凝固点やイエス・キリストの生誕などによって、0となる点を人類が恣意的に決めている間隔尺度であるため、比率が計算できないのです。しかし、差を求めることができるため、平均値や標準偏差などの統計処理は行えます。

　なお、西暦と異なり、和暦（昭和、平成、令和など）は不定期に改元されるので、そのままでは統計処理を行うことはできません。「昭和50年と令和2年の差は？」といった操作は、いちど西暦に換算しなければ行えません。和暦は統計処理を困難にするので、和暦でデータを記録するのは避けたほうが無難です。

　続いて、比例尺度の例を見てみましょう。長さが10cmと5cmでは、長さの差は5cm、比率は0.5倍です。年収が200万円の人と、年収が2000万円の人であれば、年収の差は1800万円、比率は10倍です。これらの例では、0は0となる点を意味しているため、差だけではなく、比率を求めることができるのです。比例尺度については間隔尺度と同様に、差が計算できるため、平均値や標準偏差の統計処理は行えます。また前年比などの比率に基づいた分析をすることができます。

統計処理や機械学習によってデータからインサイト（洞察）を発見しようとするのであれば、データが量的尺度で記録されている必要があります。質的データ、特に名義尺度は統計処理や機械学習がそのままでは行えないのです。順序尺度は大小関係が存在するので無理やり数値に変換することで、非線形データの処理が得意な機械学習アルゴリズムを利用すると処理することができます。

　ビッグデータとは何かという定義や基準はありませんが、筆者の独自見解では、コンピュータ1台では処理できないような大規模なデータを蓄積・処理する仕組みです。

　2023年現在、普通のパソコンに搭載するための4TBのSSDであれば、2.5万円程度で調達できます。そのため、複数のコンピュータで10TBを超えるようなデータを処理・蓄積しているのであればビッグデータと言えるのではないでしょうか。

　例えばキオクシア社（旧東芝メモリ）では、生産設備や検査装置からのデータを常に蓄積しており、1日に25億件、50TBのデータが生成されているそうです。これはビッグデータと呼んで差し支えないデータ量です。そして、蓄積されたデータに対するデータマイニングを通じて、不良の発生の予兆の発見や、不良品の発生原因の追究が行われているそうです。

　なお、散布図・相関係数、箱ひげ図・四分位数は3章で詳しく解説しているので、本章では割愛します。

ネットワークの仕組み

	キーワード
ネットワークの構成とプロトコル	ネットワーク・LAN・WAN、インターネット、通信規約（プロトコル）、TCP/IP、伝送制御・経路制御（ルーティング）
インターネットの仕組み	IP アドレス、ドメイン名、URL、DNS、HTML・WWW、電子メール

　ネットワークの仕組みは、これを解説するだけで本が数冊書けてしまうので、ここでは URL の簡単な説明を行います。

　ウェブブラウザは URL という文字列を元にウェブページを表示しています。この文字列が何を意味しているのか理解できると、ウェブブラウザが何をしているのかが少しだけわかりやすくなります。次のような URL をそれぞれの項目に分解し、それぞれが何を意味しているかを見てみましょう。

https://www.example.co.jp/contents/index.html?a=1&b=20#header

https://	スキーム名、どのようなプロトコルでリソースにアクセスすべきかを示している、https とは SSL/TLS で暗号化された http 通信の意味
www.example.co.jp	アクセスするべきサーバ名、広義のドメイン名
/contents/index.html	アクセスするべきファイルパス
?a=1&b=20	? に続く文字が URL パラメータであることを示しており、この例では a=1 と b=20 という値をサーバに伝える
#header	フラグメント識別子、ページ内の #header の id を持つセクションへのジャンプ

　以上をまとめると、この URL は、HTTPS のプロトコルで、www.example.co.jp のサーバへアクセスし、/contents/index.html というページに対して、パラメータ a=1 と b=20 を与えて表示を要求します。ウェブサーバはこれらの情報を元に、ユーザからのアクセスに対して、何を返すのかを決定していきます。そして、ページが表示されたら、header という ID を持つセクションにブラウザが直接ジャンプすることを意味しています。

www.example.co.jp はサーバ名であり、広義のドメイン名を意味します。ドメインは逆順に読むと理解しやすくなります。これは英語における住所のように、番地から先に書き、最後に州の名前、郵便番号、国名を書くようなものだと思ってください。

jp	トップレベルドメイン	jp は Japan、日本を意味する
co	セカンドレベルドメイン	co は Company、企業を意味する
example	サードレベルドメイン	狭義のドメイン名、組織名を意味する
www	サブドメイン	下部組織やサーバ名を意味する

このサーバ名を解釈すると「日本にある企業、example という組織名、www のサーバ」となります。

いくつかのトップレベルドメインと、セカンドレベルドメインは覚えておいたほうがよいのでここに記載しておきます。

.gov	Government、米国政府専用トップレベルドメイン
.edu	Education、米国教育機関専用トップレベルドメイン
.com	Company、商業組織
.net	Network、ネットワーク、インターネット関連
.org	Organization、非営利団体組織
.go.jp	Government、日本政府専用セカンドレベルドメイン
.ac.jp	Academic、日本の研究機関、大学や専門学校など
.ed.jp	Education、日本の教育機関、幼稚園、保育園、小中高校など
.co.jp	Company、商業組織、取得には日本の法人格が必要

このような性質を知っていると、Google で検索する際に、site という検索演算子を指定するとで、特定の組織が公表した資料のみを検索することができます。たとえば「雇用率 推移 site:go.jp」というキーワードで検索すると、ドメイン名に go.jp が含まれるウェブサイトのみが検索対象になり、日本政府が出している雇用率の長期推移データをピンポイントで探し出すことができます。このような site 検索演算子を利用することで、特定組織が何の情報を発信しているのかという調査や、特定の組織が発信している信憑性の高い情報を効率的に集める、といったことが可能になります。

　近年はさまざまなトップレベルドメインが増えており、お金を払えば誰でもトップレベルドメインを保有できるようになりました。たとえばキヤノン社は canon のトップレベルを取得し、https://global.canon/ja/ でキヤノンの日本語ウェブサイトにアクセスできるようになっています。

　以上の URL の解釈は HTTP 通信のほんの入口に過ぎません。ウェブページを表示するための HTTP 通信の裏側で、何が行われているのかを知りたい場合は、『Real World HTTP 第 2 版 ―歴史とコードに学ぶインターネットとウェブ技術』（オライリージャパン）や、『ネットワークはなぜつながるのか　第 2 版』（日経 BP）をおススメします。

情報システムとサービス

	キーワード
さまざまな情報システム	情報システム、トレードオフ
データの流れと情報システム	POS、トレーサビリティ、クラウドサービス
データベースとデータモデル	データベース、DBMS、データモデル

　トレードオフとは、複数の性質を同時に満たせない状態のことを指します。日本語のことわざで言うところの「あちら立てればこちらが立たぬ」です。トレードオフは情報技術のみならず、社会全体のさまざまな場面で登場してきます。

　例えば、絶対に安全な自動車というものは作れません。これは安全性と利便性はある種のトレードオフの関係にあり、両立ができないためです。絶対に安全な車が欲しいのであれば、戦車を購入してディーゼル燃料 1 L あたり 300 m の燃費を満喫してください。乗用車と比べたら、戦車の利便性や経済性は最悪でしょう。

　トレードオフは、有限な資源を複数のある要素にどのように配分しているのか？という考え方でも理解することができます。有限なコスト（資源）をどのように安全性と利便性に割り振って製品を作るのかと考えると、同じ価格帯の製品であれば、安全性と利便性がトレードオフになることは想像に難くないでしょう。

　教科書では、情報システムによって適切なサービス提供を受けるには、情報システムに対して自らの購買履歴や閲覧履歴、個人情報などを渡さなければならないというトレードオフが提示されています。これは便利なサービス提供を受けるために、個人情報を提供し、その人が望まない形での利用のされ方や、情報流出による個人情報流出のリスクを容認しなくてはいけないということです。

どんなものにもリスクは付きまといます。情報システムの上に乗っていない、紙での管理だからといって安全というわけではありません。書類も容易に複写されますし、強盗が入って書類を持ち出すかもしれません。ある日突然隕石が降ってきて建物が倒壊し、書類があたり一面に散らばるかもしれません。絶対に安全なものはありません。現代社会で生活していく上で、利便性とリスクのバランスが適切な範囲内に収まっているかを常に意識することが求められているのです。

　このほかにも、社会人として知っておかなくてはならいのは、クラウドの登場によって、IT 技術者の雇用のあり方が変わったという点です。

　2006 年頃、当時 Google の CEO だったエリック・シュミットによって「クラウド」という概念が提唱されました。それは、コンピュータを自前で保有するのではなく、必要なときに必要な台数だけコンピュータをレンタルすればよいという発想です。分散並列計算や仮想化技術自体は 1970 年代からありましたが、「多数のコンピュータをプログラムによってレンタルして制御する」という発想は比較的最近生まれたのです。

　これにより、IT システムを更新するコストが格段に下がりました。従来のIT システムの更新は、データセンターにサーバを搬入し、ハードウェアの初期不良の洗い出しのために数日間のエージング試験を行い、OS をインストールし、必要なミドルウェアをインストールし、ネットワーク設定を見直し、開発したソフトウェアを入れ、複数のシステムの連携を確認し……と言った具合で何日もかかるものでした。

　そのため IT システムの更新回数は必然的に半年から 1 年に 1 回程度になり、更新前に大規模な開発を行い、更新後には少人数で運用するという体制にならざるを得ませんでした。結果として、IT エンジニアの稼働には強烈な波が発生するため、開発業務は外注に出されることになるのです。

　以下の図は経産省の「DX レポート 2　中間取りまとめ」からの抜粋です。左側の大規模ソフトウェアの受託開発、となっているのがこの話です。

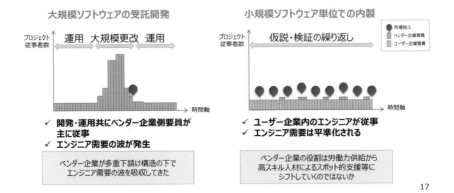

経済産業省：「DX レポート 2 中間とりまとめ」
https://www.meti.go.jp/press/2020/12/20201228004/20201228004-3.pdf より引用

　これに対して、現代はクラウドサービスの登場によって、IT システムの更新コストは格段に減少しました（上図右側の小規模ソフトウェア単位での内製）。クラウド上で新しいサーバを借りて、新しいソフトウェアをインストールして、市場に投入するまでを全てプログラムで行えるようになったのです。この流れを IaC（Infrastructure as Code）と呼びます。

　結果として、クラウドの登場によりソフトウェアの更新コストが低下したため、IT エンジニアの稼働の波は平準化されました。そのため、いかに IT エンジニアを内部に抱え、クラウドを用いて自らのソフトウェアを素早く更新していくかがアジリティの源泉へと変化したのです。

　それゆえ、クラウドが普及した現在では、非 IT 企業でも IT 人材の直接雇用が積極的に行われており、大手企業では IT 人材を総合職とは別枠で採用するといった動きも出ています。また、既存社員を IT 人材へ転換するための再教育もこういった文脈から行われているのです。

　現代におけるデータベースとは、情報を整理して保存するための電子的なシステムです。例えば、図書館の本のリストや、学校の生徒の成績など、大量のデータを効率よく管理するために使用されます。データベースを利用することで、特定の情報をすばやく検索したり、新しい情報を追加・更新・削除することができます。

　Web サービスなどの裏側で利用されているリレーショナルデータベース

（RDBMS）は、SQL というクエリ言語を通じて制御し、関係代数という数学的な操作を通じて、大規模なデータに対して、簡潔に処理を行うことができます。また、RDBMS にはデータを安全に利用するためのさまざまな仕組みが搭載されています。

　一例として、RDBMS はトランザクションをサポートしており、一連の操作を一つの単位として扱うことができます。これにより、データの整合性や同時アクセス時の問題を防ぐことができます。これについては、銀行口座でのお金のやり取りを例にして考えてみます。

　Ａさんが自分の銀行口座からＢさんの口座に１万円を振り込む場合、「Ａさんの口座から１万円を引き落とす」「Ｂさんの口座に１万円を加算する」という２つの操作が必要になってきます。この２つの操作は、一緒に行われる必要があります。片方だけ実行されると、大事故になってしまいます。

　もし１つ目の操作が成功して、２つ目の操作が何らかの理由で失敗したら、１万円はどこかに消失してしまいます。逆に１つ目の操作が残高不足で失敗し、２つ目の操作が成功したら、どこからともなく１万円が湧き出てくることになってしまいます。

　トランザクションとは、このような複数の操作を１つのまとまった単位として扱い、すべての操作が正常に完了するか、あるいは１つでも操作に失敗したらすべての操作を元に戻す（ロールバックする）仕組みです。トランザクションを利用することで、Ａさんの振り込み操作が途中で失敗しても、お金が消失することなく、安全にデータの整合性を保つことができます。

　RDBMS には、このような機能のほかにもさまざまな便利な機能や性質が存在しており、これが Web や銀行など、さまざまなサービスの根幹となっているのです。データベースを知らなくては、サービスの要件定義を行うことはもはや困難です。

情報セキュリティ

	キーワード
情報セキュリティと対策	情報セキュリティ、機密性・完全性・可用性、ファイアウォール、アクセス制御、アクセス権
暗号技術	共通鍵暗号方式、公開鍵暗号方式、公開鍵・秘密鍵、デジタル署名・認証局

情報セキュリティとは「機密性・完全性・可用性」からなります。

機密性とは、許可された人だけが IT システムや情報資産にアクセスでき、許可されていない人はアクセスしたりデータを書き換えたりできないことです。パスワードと指紋の両方を利用しないと IT システムにアクセスできないよう多要素認証を活用したり、そもそも情報を外部に持ち出さないといった運用が求められます。

完全性とは、保持している情報資産が正確であり、完全であり、改竄されていないことが保証されている状態です。誰がいつファイルにアクセスし書き換えたのか？といったアクセス履歴・変更履歴や、書き換えができない物理メディアへのバックアップ等が求められます。

可用性とは情報システムや情報資産がいつでも使える状態を維持することです。外部からの攻撃によって、情報システムが停止したり、情報資産が破壊されたりすることがないことです。

日常的に可用性が損なわれていると、従業員は情報資産を USB メモリなどにバックアップして利用するという「業務改善」を行ってしまいます。可用性の中には「使いやすさ」「利便性」も含まれることがあります。いくら安全であっても利用しづらいサービスでは、生産性が落ちることを嫌って、かえって別の危険な手段が利用されてしまいます。

社内システムの利便性が悪いと、シャドー IT の温床になります。シャドー IT とは、会社が認めていない IT システムの隠れた利用です。シャドー IT は統制されておらず、セキュリティは利用者個人のリテラシーに依存します。その

ため、利便性が高い社内システムを整備することもまたセキュリティを高める一手段です。

　たとえば、社内チャットを整備していない会社では、LINE や Facebook messenger で業務が行われることがよくあります。このほかにも、社内・社外とのファイル共有の仕組みが整備されていないと、個人の USB メモリによってデータを運んだり、メッセンジャーアプリでデータを転送するといったことが発生し、情報漏洩の温床になります。

　暗号化とは、本文よりも十分に短い「鍵」となる数値を用いて特定の計算を行い、平文（暗号化されていない文章）を暗号文に変換することです。最古の暗号化アルゴリズムの一つであるシーザー暗号を通じて、暗号化とはどのようなものかを見てみましょう。

　シーザー暗号とは、アルファベットの各文字を決まった文字数をズラすことで、別の文字列に変換するアルゴリズムです。そして、ずらした文字数と逆の文字数をズラすことで、元の文字列に復号します。たとえば、「A」を 3 文字ズラすと「D」になります。これを元に文章の暗号化を行ってみましょう。

　ここではシーザー暗号の元になったユリウス・カエサルの名言を暗号化してみましょう（当時のローマでは英語ではなく、ラテン語が使われていたことはさておき）。ちなみにこの例では暗号鍵は「3」という数値になります。

I came, I saw, I conquered.
　↓ 3 文字進める
L fdph, L vdz, L frqtxhuhg.
　↓ 3 文字戻す
I came, I saw, I conquered.

　このように、たった 3 文字を進めるだけで、全く意味不明な文章に変換されます。これでは一瞥しただけでは読むことはできません。しかし、英語では 1 文字の単語は「I」と「a」くらいしかありません。そのため、L が I だと仮定して 3 文字進んでいるのだと考えると、そこから芋づる式に文章の内容がわかってしまいます。それでも、紀元前のローマでは、識字率も低く、アルゴリズムも公開されていないので、これで大丈夫だったのでしょう。

暗号の歴史は解読と対策の歴史です。シーザー暗号は先ほどのように、適当にアタリを付けて解くこともできますし、最悪、1文字ずつずらして検証を行えば、25回の試行で復号することができてしまいます。シーザー暗号の仕組みがわかっていれば、素人でも一瞬で解読できるでしょう。

これに対して対策が行われた単一換字式暗号が登場しました。これはあるアルファベットを別のアルファベットへと変換するという変換表を用いて変換が行われます。AがRに変換され、BがAに変換されるといった具合の変換表です。以下は変換表の一例です。この変換表（換字表）が暗号鍵となります。

A	B	C	D	E	F	G	H	I	J	K	L	M	N	O	P	Q	R	S	T	U	V	W	X	Y	Z
R	A	L	K	N	U	E	C	D	Q	Y	P	I	M	B	T	V	O	G	S	J	F	H	X	Z	W

この場合、総当たりで文章を解読するには、26文字のアルファベットの並び順すべてを検証しなくてはなりません。すなわち、$26! = 403291461126605635584000000 = 4.03 \times 10^{26}$通りという途方もない組み合わせを検討する必要があるのです。そのため、総当たりでは解くことができないので頭をひねる必要があります。

これには言語のもつ特性を利用すると解くことができます。英語ではEが出現しやすく、QやZが出現しにくいという特性があります。そのため、暗号文の中のアルファベットの出現回数を数えることで、出現頻度が最も高いものがEではないか？最も低いものがQやZではないか？というアタリを付けることができます。

アルファベット	出現確率	アルファベット	出現確率
A	8.2%	H	6.1%
B	1.5%	I	7.0%
C	2.8%	J	0.15%
D	4.3%	K	0.77%
E	12.7%	L	4.0%
F	2.2%	M	2.4%
G	2.0%	N	6.7%

アルファベット	出現確率	アルファベット	出現確率
O	7.5%	U	2.8%
P	1.9%	V	0.98%
Q	0.095%	W	2.4%
R	6.0%	X	0.15%
S	6.3%	Y	2.0%
T	9.1%	Z	0.074%

https://en.wikipedia.org/wiki/Letter_frequency より引用

　このほかにも、英語では出現しやすい文字の並びというのも知られており、「TH, HE, IN, ER, AN, RE, ED, ON, ES, ST, EN, AT, TO, NT, HA, ND, OU, EA, NG, AS, OR, TI, IS, ET, IT, AR, TE, SE, HI, OF」などが該当します。ある文字がEだとわかったら、続く文字は、RやSである可能性が高いのです。このように文字の出現パターンからも、文字の候補を絞っていくことができます。このような頻度分析のアプローチを使った統計的手法により、換字式暗号は解読を行うことができるのです。

　換字式暗号は、1文字ごとに使う換字表を変えるヴィジュネル暗号になり、そして20世紀には複数の歯車を使った暗号機となり、換字表が1文字ごとに歯車の動きで複雑に変化するものとなりました。ナチスドイツの開発したエニグマ暗号機を、イギリス人の数学者アラン・チューリングが独自の暗号解読装置を開発して破ったことは有名です。これは「イミテーション・ゲーム／エニグマと天才数学者の秘密」というタイトルで映画にもなっています。

　過去の暗号と現代暗号の違いの一つは、暗号化アルゴリズムを公開するということです。暗号化アルゴリズムが不明であることに依存した暗号方式があったとすると、何らかの方法で暗号化アルゴリズムが盗み出されると、そこから解読の糸口に繋がることがあります。たとえば前述のエニグマ暗号などは、物理的な暗号機に依存しており、暗号機を奪われることは暗号を破られることに繋がるため、敵国に奪われないように厳密な管理が必要でした。

　現代暗号は暗号化アルゴリズムを公開し利便性を高め、鍵の秘匿性のみに依存したものになっています。暗号化アルゴリズムが公開されることで、多くの

研究者らが攻撃を行い、欠陥を発見し修正し、「暗号化アルゴリズムが公開されていても解読が困難である」という安全性が確認されています。これにより、暗号機や暗号アルゴリズムを盗まれる恐怖から解放されたのです。

　一方で、通信を行う二者の間での暗号鍵の安全な交換は困難です。最も基本的な課題は、通信が傍受されるリスクが存在することです。従って、暗号鍵を直接送信すると、その暗号鍵が第三者に流出する可能性があります。物理的に暗号鍵を送ることも可能ですが、それでは利便性が大きく下がってしまいますし、なによりも物理的に運ぶことそのものにもリスクがあります。安全に暗号鍵が運べるのであれば、その経路で機密情報を送ればよいのです。

　共通鍵暗号方式の問題を解決するために、現代では公開鍵暗号方式が普及しています。公開鍵暗号方式を簡単に説明すると、暗号化のための鍵と、復号化のための鍵を全くの別モノにできる技術です。

　この方式では、各ユーザは公開鍵と秘密鍵のペアを持っており、公開鍵で暗号化されたメッセージは、対応する秘密鍵でのみ復号可能となります。公開鍵はオープンに共有されるため、第三者に傍受されても問題なく、秘密鍵のみが秘密に保たれることで通信の安全性を保つことができます。

　AさんとBさんが通信を行いたい場合、AさんはBさんの公開鍵でメッセージを暗号化し、Bさんに送付します。Bさんは自分だけが持つ秘密鍵で暗号化されたメッセージを復号し、平文を得ることができます。Bさん宛ての暗号化されたメッセージが盗聴されたとしても、秘密鍵を持つのはBさんだけなので、他者は解読できないのです。

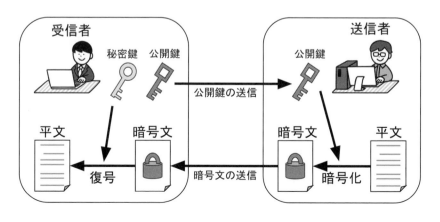

## 第 3 章

情報Iをより深く
理解する

　この章は、「コンピュータと人間は何が違うのか？」「統計は『全体』を見ないで『全体』を見る」「要件定義は上から下へのブレイクダウン」の3つの項目からなっています。いずれも情報Iの範囲を大きく踏み超えているので、情報IやITパスポートの勉強と同時に読むと、補完的に読めて面白いと思います。

　「コンピュータと人間は何が違うのか？」では、情報Iの範囲を踏み超えて、コンピュータサイエンスのエッセンスを学んでいきます。この節はある程度プログラミングの勉強をした後に読むと、「自分がやっていたプログラミングはそういうことだったのか」という発見があり、大変面白く読めると思います。

　「統計は『全体』を見ないで『全体』を見る」は、現代の学校教育における確率統計の比重が増えているという話と、学校教育で行われている確率統計のおさらい、そして統計を利用したビジネスの話をしていきます。社会がコンピュータを背景として大きく変革している中で、数学教育も大きく変革しているのです。現代の高校生と同じレベルに到達するには何を勉強したらよいのかの指針を示します。

　「要件定義は上から下へのブレイクダウン」では、ITシステムを開発する際に必須である、要件定義について解説していきます。要件定義とは何を作りたいのか、何を作れば目的が達成できるのかを考えることです。作るべきものを分解していき、最終的に統計やコンピュータの言葉として語れる必要があります。要件定義の必要性は1章に十二分に書いているので、そちらを参照してください。

　これらはいずれも、プログラムを書かない人がいかにうまく要件定義を行うか、という発注側の観点から書かれています。情報IやITパスポートを学んだ延長線上には、ITシステムを発注する能力が存在しているのです。

コンピュータと人間は
何が違うのか？

CPU ができることはとても少ない

　現代の CPU の基本的な機能は「レジスタ演算」「逐次実行」「条件ジャンプ」「メモリ IO」の 4 つです。これらの基本的な動作を理解することで、プログラミングが理解しやすくなっていきます。

　なお、これは一般的な定義ではなく、プログラミングから見たときに CPU をわかりやすく理解するための本書での独自定義であることに注意してください。実際の CPU には「割り込み」や「コンテキストスイッチ」などの機能もありますが、初歩的なプログラミングをしている限りは出てこない機能・概念なので、忘れてしまって大丈夫です（これはプログラミング上級者からのめんどくさい指摘を避けるための文章です！）。

　CPU はレジスタ（register）と呼ばれる、数個〜 30 個程度の演算用メモリを持っています。CPU が計算に利用できるのは、このレジスタの中に入った値だけです。そして基本的には演算は 2 つのレジスタの間での演算に限られます。レジスタ A とレジスタ B の値を足して、レジスタ C に入れる。この程度の演算に限られます。つまりコンピュータは「2 つの値しか同時に見る（取り扱う）ことができない」という性質を持ちます。これが人間とコンピュータの究極的な違いです。

　CPU はレジスタの一種である、プログラムカウンタの値が指し示すメモリの値を読み取り、その値を命令として解釈して実行していきます。そして実行

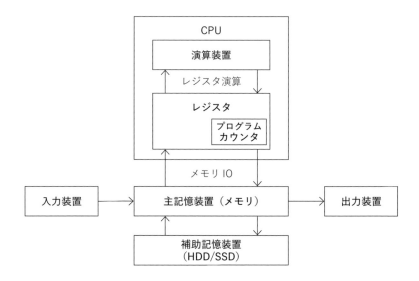

が終わったらプログラムカウンタの値を増やし、次の命令を読み込んでいきます。これが逐次実行です。逐次は日常会話ではあまり使われない言葉ですが「順に」や「次々と」という意味です。

　条件ジャンプとは、命令を実行した結果、特定の条件になったらプログラムカウンタの値を書き換えることで、プログラムの実行順序を変えることです。プログラムの if 文や、ループ文は最終的には条件ジャンプに帰着されます。そのため、ただ単に上から下に命令が実行されるだけでなく、命令の実行結果によって、次に実行する命令を変えることができるのです。

　CPU 単体では、レジスタ内に入っているたかだか十数個程度の値しか取り扱えません。CPU に複雑な動作をさせるためには多くの値を取り扱う必要があります。それがメモリ IO です。レジスタに入っている値をメモリに書き込む、メモリにある値をレジスタに読み込むことで、広大なメモリを取り扱うことができます。これは逆にいうと、何ギガバイトのメモリを積んでも、一度に見えるのはたかだか数点の値でしかないのです。ましてや演算できるのは 2 つの値だけです。

　CPU ができることはたったこれだけなのです。たったこれだけでなぜ複雑な動作が実現できるのでしょうか？

CPU ができることはとても多い

　前項では CPU にできることはとても少ないという話をしましたが、それではなぜコンピュータは複雑な動作ができるのでしょうか？　それは、簡単な動作を組み合せて複雑な動作を実現できるからです。あたかも、十数種類の原子で複雑なタンパク質が合成され、生物にまでなっているかの如き仕組みです。

　それでは複雑な動作が「レジスタ演算」「逐次実行」「条件ジャンプ」「メモリ IO」に還元されていくことを紹介していきましょう。

　まずは if 文（定めた条件を満たすときに指示を与える構文）による条件分岐が、内部的には条件ジャンプに変換されているのを見ていきましょう。次のような変数 a の値に応じて呼び出される関数が異なるという C 言語のコードが、どのようなマシン語（CPU が実際に実行する命令列）に変換されるのかを見てみます。

```
if (a > 100) {
  do_something_1();
} else {
  do_something_2();
}
```

　このコードはコンパイルを行うことで次のようなアセンブラに変換されます。アセンブラはアセンブリ言語とも呼ばれます。これはコンピュータが実際に実行するマシン語に変換する 1 段階前のプログラミング言語です。ここではアセンブラを理解する必要はありません。なんとなく雰囲気を感じ取ってください。なお、ここでは Intel 等で使われている x86 アーキテクチャ向けのアセンブラを生成しています。

```
        mov     eax, DWORD PTR a[rip]        ; EAX レジスタにメモリから
                                             変数 a の値を入れる
        cmp     eax, 100                     ; EAX レジスタと 100 を比較
        jle     .L4                          ; 比較結果が以下であれば .L4 に
                                             ジャンプ
        call    do_something_1()             ; do_something_1 を呼び出し
        jmp     .L5                          ; .L5 にジャンプ
    .L4:                                     ; .L4 のラベル
        call    do_something_2()             ; do_something_2 を呼び出し
    .L5:                                     ; .L5 のラベル
```

今回使われている x86 アセンブラの命令の解説は以下の通りです。

mov：move の略、レジスタ間や、レジスタとメモリの間のデータの移動命令

cmp：compare の略、値の比較命令

jle：jump less equal の略、直前に cmp した際の値が以下であればジャンプ

jmp：jump の略、無条件でジャンプする

call：関数呼出し命令

大昔はこのようなアセンブリ言語でプログラムを書いていましたが、現代ではこのようなアセンブラでプログラムを書くことはほとんどありません。とはいえ、アセンブラにしてみるとレジスタの存在や、条件ジャンプの存在がよくわかってきます。if 文は cmp と jle と jmp に変換されました。

同じように、for 文（同じ処理を繰り返す指示を与える構文）によるループがどのように解釈されるのかも見てみましょう。これは 100 回 do_something_1 を呼び出す C 言語のコードです。

```
for(int i = 0; i < 100; i++) {
    do_something_1();
}
```

これは次のようなアセンブラに変換されます。[rbp-4] は少しわかりづらいですが、これはローカル変数の i を指しています。

```
        mov     DWORD PTR [rbp-4], 0        ; ローカル変数の i に 0 を代入
        jmp     .L3                         ; .L3 にジャンプ
.L4:                                        ; .L4 ラベル
        call    do_something_1()            ; do_something_1 を呼び出し
        add     DWORD PTR [rbp-4], 1        ; ローカル変数の i に 1 を加算
.L3:                                        ; .L3 ラベル
        cmp     DWORD PTR [rbp-4], 99       ; ローカル変数 i と、99 を比較
        jle     .L4                         ; 比較結果が以下であれば .L4 に
                                            ;  ジャンプ
```

　このように for 文によるループも、条件ジャンプに変換されます。多くのプログラミング言語には if による条件分岐や、for によるループが実装されていますが、CPU のレベルでは条件ジャンプによるプログラムカウンタの書き換えへと変換されるのです。

　ループはプログラミングの基礎ですが、（一部の）CPU にはループは存在しません。比較と条件ジャンプを組み合わせることでループを実現しているのです（厳密には x86 アーキテクチャには LOOP というループ専用の命令がありますが、動作が遅いので現代では利用が推奨されていません。また Arm アーキテクチャには命令レベルでループは存在しません）。

　これは驚くべきことです。プログラミングでよく使うループですら、複数の命令の組み合わせから実現されているのです。プログラミングを勉強していると、さまざまな関数や複雑な命令が存在して混乱してしまうことばかりでしょう。しかし、最終的には CPU の基本的な機能に還元されていくことを知っていると、要素に分解して理解することができます。

アルゴリズムはアルゴリズムから作られる

アルゴリズム（情報処理の具体的な手順。アラビアの数学者フワーリズミーに由来）の勉強をするには、複雑なアルゴリズムは、簡単なアルゴリズムを組み合せて作られていることを知っておくことが大事です。

プログラミングの初学者にありがちな質問の1つに「XXXX を実現する命令はありませんか？」というものです。そして即座に「そんなものはない、YYYY と ZZZZ を組み合わせれば実現できる」と返されるのです。

プログラミングの初学者は、プログラミング言語の標準ライブラリが備えているさまざまな命令に圧倒されてしまいがちです。その結果、自分が抱えている問題を一撃で解決してくれるような命令が、あらかじめプログラミング言語に備わっているはずだ、と勘違いしてしまうのです。

もちろん、標準ライブラリを利用すると一発で解決する問題も多いでしょう。よくある問題であれば、サードパーティー製のライブラリを導入することで解決できることも多々あります。現代の言語はライブラリ管理コマンド（pip やnpm や gem など）が整備されており、必要な機能をサッとインストールすることができます。しかし、ライブラリはあくまでもよくある問題を、誰かが綺麗にまとめてくれただけです。そのため、何かを新しいものを作ろうとしたら、自分で組み立てるしかないのです。

コンピュータサイエンスの勉強は、基本的には下から上への積み上げになります。ディープラーニングや画像認識など、最先端の技術から触ってみることは悪いことではありません。しかし、下から技術を積み上げておかないと、いざ新しいものを作ろうとなったときや、アリモノを改造しようとしたときに手が止まってしまうのです。

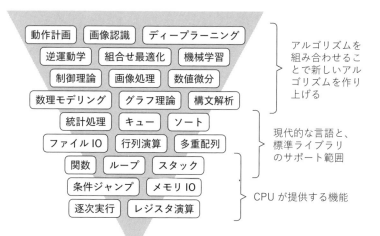

アルゴリズムを
組み合わせるこ
とで新しいアル
ゴリズムを作り
上げる

現代的な言語と、
標準ライブラリ
のサポート範囲

CPU が提供する機能

※厳密性はありません。

　この図は「レジスタ演算」「逐次実行」「条件ジャンプ」「メモリ IO」の 4 つを最下部として、そこからさまざまな機能が積み上げられていることを表現しているものです。最下層には CPU の機能があります。そしてその上に、標準ライブラリが提供するソートや多重配列、行列演算等の基本的な機能が積まれています。さらにはその上に、サードパーティーが提供する画像処理や機械学習のライブラリが積まれているのです。

　こういったアルゴリズムの積み上げを知っておくことはとても大切です。このような図はいくつかの教訓を与えてくれます。

　繰り返しになりますがプログラミングの学習も、下から上への積み上げです。ディープラーニングのような高度なアルゴリズムから触るのもよいですが、いざとなったときに下位のアルゴリズムを触れないと、アルゴリズムを改造したり、複数のアルゴリズムを組み合わせたりすることができません。

　簡単なアルゴリズムを組み合わせて、より複雑なアルゴリズムは実現されます。この積み上げの繰り返しによって、コンピュータが実行可能な世界はどんどん広がっています。また、複雑なアルゴリズムであっても、高速に動作するコンピュータにとって容易であることはとても多いのです。皆さんが所有するスマートフォンやパソコンは、毎秒 100 億回程度の計算ができます（2.5GHz × 4 コア =100 億回 / 秒）。

どんなに複雑なアルゴリズムであっても、最終的には2つの数値の演算に帰着されます。つまり、どこまでいってもコンピュータは「2つの値しか同時に見る（取り扱う）ことができない」のです。そして、行えることも四則演算や数値比較程度に限られています。

　人間は複雑な脳機能の上に、四則演算のような計算する能力を後天的に獲得します。しかしコンピュータは逆なのです。コンピュータは大量の四則演算の果てに、高度な機能を獲得するのです。これが人間とコンピュータの大きな違いです。次項ではソート（並べ替え）を通じて、人間とコンピュータの特性の違いを考えていきましょう。

人間は「全体」が見える。
コンピュータは「全体」が見えない

コンピュータは「2つの値しか同時に見る（取り扱う）ことができない」という性質を持つと先ほど述べましたが、これが如実にわかるのがソート（並べ替え）です。

アルゴリズムの勉強をしていると一番最初に学ぶことになるのがソートです。なぜソートを勉強するのでしょうか？　ソートは、人間にとって簡単で、コンピュータにとって難しい問題として有名だからです。

ソートは人間にとって簡単です。次の図を見て、大きい順に並べ替えてください。

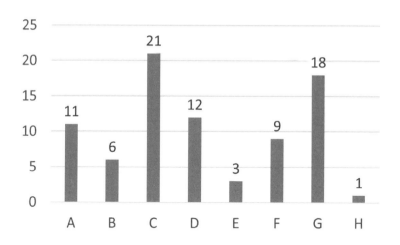

どうですか？　一瞬でわかりましたよね。C,G,D,A,F,B,E,H の順です。ではなぜ一瞬でわかったのでしょうか？それは人間には「全体」が見えるからです。人間の脳は複数の物事を同時に認識して、同時に処理することができます。しかもそれを無意識にやってのけます。人間は「見ればわかる」のです。

一方でコンピュータ（CPU）は「2つの値しか同時に見る（取り扱う）ことができない」ので、人間と同様の認識を行うことはできません。2つの値を何度も比較することによって、全体の並べ替えを実現するのです。AとBを比

較して、BとCを比較して……、ということを何度も繰り返してソートを実現します。

　それではコンピュータがソートする場合を考えてみましょう。今回はマージソートという手法を紹介します。

　マージソートは2段階のプロセスからなります。まず配列を2つに分けていくことを繰り返して、1つになるまで分割していきます。次に、2つの配列を先頭から順に走査して、値の大きいほうを取り出して、次の配列に詰めていきます。この処理を併合と呼びます。2つの配列を併合（マージ）していく処理を繰り返し、配列が1つになるまで繰り返していくと、最終的にソート済みの配列が得られます。

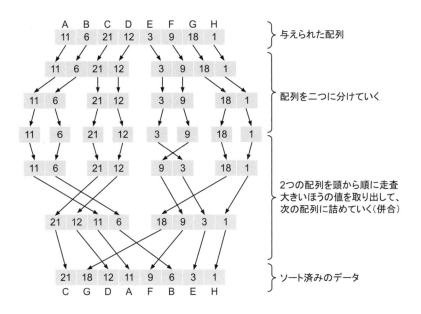

　ちなみにPythonのコードでは次のようになります。これは関数内で自らの関数を呼び出すという「再帰」というテクニックを使って書かれています。情報IやITパスポートの範囲外のテクニックになるので、ITパスポートの取得を目指しているのであれば、理解できなくとも大丈夫です。基本情報技術者試験以上では必須になります。

```
def merge_sort(target_list: list) -> list:
    if len(target_list) == 1:
        return target_list

    s = len(target_list) // 2
    left_list = merge_sort(target_list[:s])
    right_list = merge_sort(target_list[s:])

    retrun_list = []
    left_index = 0
    right_index = 0

    while left_index < len(left_list) or right_index < len(right_list):
        if left_index == len(left_list):
            retrun_list.append(right_list[right_index])
            right_index += 1
        elif right_index == len(right_list):
            retrun_list.append(left_list[left_index])
            left_index += 1
        elif left_list[left_index] > right_list[right_index]:
            retrun_list.append(left_list[left_index])
            left_index += 1
        else:
            retrun_list.append(right_list[right_index])
            right_index += 1

    return retrun_list

print(merge_sort([11,6,21,12,3,9,18,1]))
```

　このプログラムの全体構造はわからなくても大丈夫です。使われている命令に着目してみてください。2つの値の比較（==, <, >）、2つの値の演算（or, //, +=）、条件分岐（if, elif, else）、ループ（white）、メモリからの値の出し入れ（target_list[:s], target_list[s:], right_list[right_index], left_list[left_index], append）しかありません。たったこれだけでマージソートは実現されています。

数が多くなると、人間は「全体」が見えない。コンピュータも「全体」が見えないが、見える

それでは先ほどと同じように、次の値を大きい順に並べ替えてみてください。今回は 100 個のデータがあります。

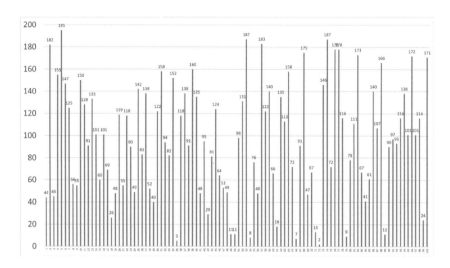

25 番目に大きい数字はいくつですか？　全くわかりませんよね。人間はデータ量が膨大になると、とたんに「全体」が見えなくなります。人間が「見ればわかる」のはデータ量が少ないときに限定されるのです。データ量が多くなると「見てもわからん」のです。ちなみに、これはたかだか 100 個のデータです。これが 1000 個、1 万個、10 万個になったらどうでしょうか？

一方でコンピュータは先ほどと同様のプログラムで、2 つの数字を比較して入れ替える操作を繰り返すだけで、並べ替えを実現してしまいます。コンピュータは「全体」が見えなくとも、正しいアルゴリズムが組めれば、正しく操作することができるのです。データ量が何個であろうとも、メモリや記憶装置に収まる限りは動作してしまうのです。

なぜアルゴリズムの勉強でソートが真っ先に登場するかと言えば、2 つの数字の比較と入れ替えだけで、人間には取り扱えないような膨大な数を取り扱えるからなのです。人間はソートのような簡単な問題でさえ、数が膨大になると取り扱えなくなるのです。

プログラミングとは何か？ CPU象を評す

　プログラミングとは何か、というのを一言でいうと「限られた機能で、複雑な物事を実行させる手順を作ること」となります。

　CPUは前述のように「レジスタ演算」「逐次実行」「条件ジャンプ」「メモリIO」しかできません。プログラマーはコンピュータの気持ちになって「２つしかモノが見れないコンピュータが、どうやって全体を見るのか？」を考えるのです。言ってしまえば、象を撫でる盲目の賢人を作り上げるのです。

　プログラミングとは「群盲象を評す」（視野が狭い人は自分の限られた情報を元に誤った判断をしてしまい、大局的な見方ができないたとえ）の逆なのです。極めて狭い視野しか持たないCPUが、いかに全体を語れるようになるのか、ということを考えるのです。

　人間は複雑な脳機能を持っているため、「なんとなく」で問題が解けてしまいます。要素が数個しか無い場合の並べ替えなどがいい例でしょう。人間は「全体」を見れば自明なことは考えない傾向にあります。人は象を見たら「それは象だ」と言ってしまうでしょう。わざわざ目を瞑って象を撫でて「これは象だ」と言おうとする人はいないでしょう。

　残念ながら、プログラミングとは、目を瞑って象を撫でるような行為なのです。「無意識を意識する」のがプログラムの設計プロセスになります。「見ればわかる」という言葉は禁句です。なぜなら、それは人間の考え方だからです。プログラムの設計のためには、人間が行っている無意識の動作を、意識的に記述する必要があるのです。

　そして、意識的に記述された動作を、より細かい問題へと分解していきます。象を評すのであれば次のような構造になります。「これは象か？」という大問題があり、それがさまざまな中問題、小問題へと分解されていきます。

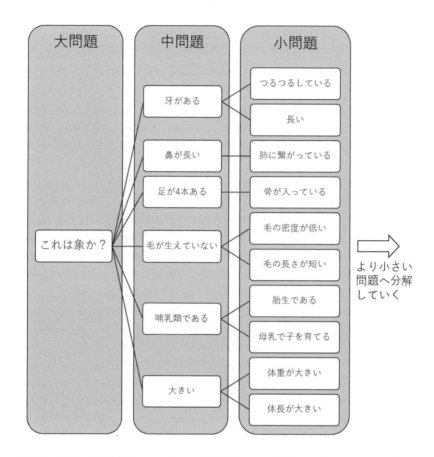

問題をどんどん分解していくと、最終的には「成体の毛の長さは平均で何cm 以内」であるだとか「成体の体重が何キロ以上」であるだとかの、数値的に判断が可能な問題へと分解されていきます。そこまで分解できると、プログラムで処理可能な問題に帰着できたと言えるのです（余談ですが、象牙を狙う密猟者による淘汰圧によって、最近は牙のない個体が増えているそうで、牙の有無により「象である」と判断するのは誤りの可能性があります）。

プログラミングとは、コードを書くことだけではありません。このように、大きな問題を小さな問題へ、そしてより小さい問題へと分解することを繰り返して、コンピュータが実行可能な小問題の集合へと帰着させることも含まれます。

そして、問題の分解の仕方は一通りではありません。誰が分解を行ったかに

よって、ぜんぜん違う小問題に帰着されることはよくあります。ちなみに、プログラミングができない人の特徴として、「人間が実行可能な小問題の集合」へと分解してしまうという傾向があります。「2つしか物が見えないコンピュータでどうするべきか」を意識しないで、「自分だったらどうするのか」を意識して問題を分解しようするためです。

　冒頭で、プログラミングとは「限られた機能で、複雑な物事を実行させる手順を作ること」と述べましたが、「限られた機能」というのをちゃんと意識して、うまくそれらに帰着させることが求められるのです。そのため、CPUには何ができるのか、現代のコンピュータはどのような問題が解けるようになっているのか、そしてコンピュータは何が苦手なのかを知っておく必要があるのです。

「限られた機能」というのは利用している素子により異なります。利用している素子がCPUではなく、「日本の高等教育を受けた労働者」かもしれませんし「初等教育を受けていない海外のクラウドワーカー」かもしれません。果ては「ゲート式量子コンピュータ」なのかもしれません。そのときに使っている素子に応じて、できること、できないことが異なり、その素子の特性に合わせて問題を分解することが正解になります。

コンピュータから見た世界は
どうなっているのか？

　一例として、こんな電子顕微鏡で撮影された画像から、細胞の数を数えるという問題を考えましょう。

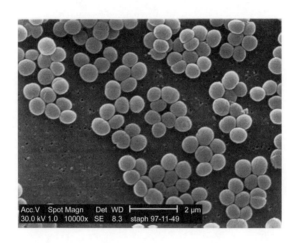

　どうすれば細胞の数が数えられるでしょうか？　「全体」が見れる人間にとっては、この問題はたやすいでしょう。丸い細胞をカウントするだけなので、頑張ればやってやれないことはないでしょう。ちなみに私がカウントした場合は、3分程度かかり149個でした。

　では、この画像をコンピュータが見たらどのようになるでしょうか？　ちょっとしたプログラムを書いて確認してみましょう（例によってプログラムそのものは理解しなくても大丈夫です）。

```
image = cv2. imread (filename, cv2. IMREAD_GRAYSCALE)
plt. imshow(image, cmap="gray")
```

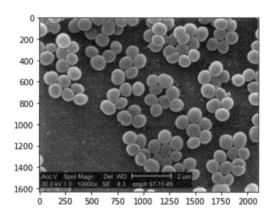

> image

array([[252, 252, 252, ...,215, 220, 220],
[251, 251, 251, ...,216, 218, 219],
[249, 249, 251, ...,217, 218, 219],
...,
[155, 154, 154, ..., 242, 241, 241],
[153, 153, 155, ..., 242, 241, 241],
[154, 153, 155, ..., 242, 241, 241]], dtype=uint8)

　プログラムから画像のデータにアクセスすると、一番左上の画素の値が 252 で、その 1 つ下は 251、さらに 1 つ下は 249 で……という構造になっています。プログラムから見た画像は、2100 × 1630（約 342 万個）の数値の羅列なのです。ここからどうやって細胞を数えたらいいのでしょうか？　何があれば細胞だと判断することができるのでしょうか？

　前述のように、コンピュータは 2 つの数値の間の操作しかできません。人間が行っているような「なんとなく」では細胞を数えることはできないのです。そのため、コンピュータが実行できる画像処理を繰り返して画像認識を実現する必要があります。

　少なくとも、細胞は円形をしているので、円状の物体を抽出できれば何とかなるかもしれません。それでは円状の物体を抽出するためのハフ変換というアルゴリズムを使って、細胞を抽出してみましょう。

実際にプログラムを組もうとすると、バイラテラルフィルタによるノイズ除去、キャニーフィルターで画像を微分をしてエッジ抽出、エッジ成分をハフ変換で円抽出、一定範囲内の大きさの円形の物体を抽出して……、といった流れになります。これらのアルゴリズムは解説しませんが、興味があれば検索して調べてみてください。

　実際に上記のプログラムを組んで、細胞の抽出を行なったところ、139 個の円状の物体が検出されました。抽出された物体を可視化してみると、このようになりました。

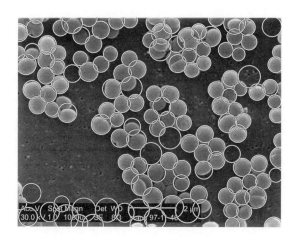

　どうでしょうか。そこそこうまく動作しているように見えます。とはいえ、単なる円領域抽出なので、なかなかに誤検出も多いです。どのようなケースで失敗をしているのか、そしてその原因と対策を考えてみましょう。

失敗ケース	原因	対策
何もない領域を円として認識	エッジからの円抽出アルゴリズムを利用しているので、細胞が円状に並ぶと空間の側が円として認識される	抽出された領域の輝度を調査し、平均輝度が細胞の輝度よりも小さければ棄却する
キャプションの領域に円形があると誤認識	ハフ変換は全体が均質であることを前提としているアルゴリズムなので、キャプション領域のようなものは想定されない	そもそもキャプションを入れないようにする
重なり合っている細胞がうまく認識できない	細胞の一部しか見えないので、ハフ変換の投票数が足りない	ハフ変換の投票閾値を下げるのが有効だが、ノイズが増えるので、トレードオフがある
分裂中の細胞が1個として認識されてしまう	円抽出アルゴリズムなので、円の中に線が入っている構造を認識できない	認識された領域の中に線が入っているかどうかを判定する（できるか？）
密度が高い場所の細胞が認識されない	密度が高い場所では細胞は六角形に変形してしまう	現状のアルゴリズムからは対応不能

　対策には簡単なものから、そもそも小手先の調整では不可能そうなものまであります。古典的な画像処理技術を利用して細胞の個数を数える方針は、できなくはないですが、作りきるのは大変そうです。

問題そのものを考え、統計で問題を簡単にする

　ビジネスにせよサイエンスにせよ、問題を解くことだけでなく、問題そのものについて考えることが求められます。

　はたして「細胞を数える」というのは本当にしたいことだったのでしょうか？正確に1個ずつ測る必要はあったのでしょうか？　細胞がどれくらい増えているかを調べたいのであれば、1平方ミリメートルあたりに何個の細胞があるのかを調べれば良かったのではないでしょうか？　また集計値でよいのであれば、ある程度の誤差が許容されるのではないでしょうか？

　このように問題そのものについて考えると、用途によっては必ずしも細胞1つ1つを正しく数えなくともよさそうだとわかってきます。統計的に正しい答えが得られればよいのであれば、もっと簡単なやり方が考えられます。

　画像を見る限り、細胞は明るく写り、バックグラウンドは暗く写っています。この特性をうまく使えば、直接的に細胞を数えなくとも、間接的に細胞を数えられるかもしれません。仮に細胞はより明るく、バックグラウンドはより暗く撮影できたと仮定するために、全体を二値化してみましょう。

　輝度が100以上の値の点を白、それ以下を黒にして二値化してみると、次のようになります。画像の左側の部分はバックグラウンドが白くなってしまっていますが、右側であればかなりうまく細胞が取れているように見えます。どうやら輝度値を見るだけで細胞がうまく取り出せそうだとわかってきました。

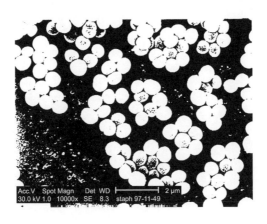

右上の 1/4 を切り取り、輝度の平均値を求めたところ 149.8 となりました。8bit の画像では、輝度は 0 〜 255 の値をとるので、右上の領域は画面のうち 59%(=149.8/255) が細胞で埋まっている、ということが言えそうです。

　細胞の大きさが既知であれば、一定面積の中で何パーセントが細胞で埋まっているかという情報と視野の大きさから、単位面積当たりの細胞の数を計算できるかもしれません。また平均輝度と細胞の数の計測結果を何点か集めれば、検量線（回帰曲線）を作図することができるでしょう。そして、平均輝度と細胞個数の関係性を求める関数が作れると考えられます。

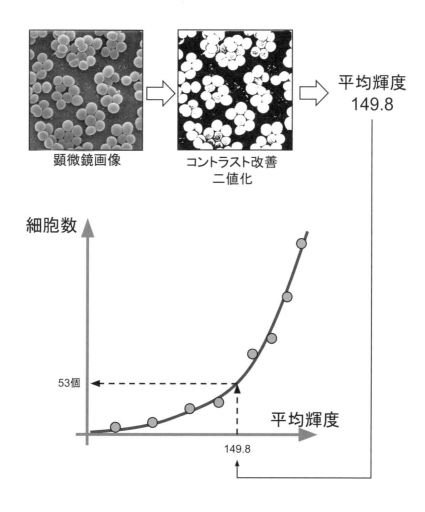

顕微鏡画像

コントラスト改善
二値化

平均輝度
149.8

細胞数

53個

平均輝度

149.8

このように、簡単な画像処理（二値化）を行い、平均輝度という簡単な統計情報を作るだけで、複雑な処理をしなくとも細胞の個数を測ることができるようになりました。問題そのものを考え、「細胞を1個1個数える」という問題を「単位面積当たりの細胞の個数を推定する」という問題に変換する、これもある種の「情報処理」です。

　良いプログラマーとは、コードが書けることだけではないのです。問題の本質を見抜き、問題をコンピュータが解きやすい形に変換することも資質として求められるのです。

　統計はプログラミングと同時に学ぶことで、より効果的なものになってきます。コンピュータは2つの数値の操作しかできません。統計は複雑な情報を数個の統計量（平均、分散、共分散、相関係数、等）に減らしてくれます。今回は何万次元もの自由度を持つ画像を、1次元の平均輝度値という情報に次元圧縮することで、たった1つの数字を見るだけで、物事を判断できるようになりました。

　統計をうまく使うと「全体」を見なくとも、「全体」を見るがごとく振る舞うことができるのです。

　昨今の機械学習ブームも、この延長線上で理解することができます。機械学習は、極めて多くの次元を持つデータを、いい感じに次元圧縮することで、あたかも「全体」をみているがごとく振る舞わせるのです。機械学習の基礎については4章で解説します。

統計は「全体」を見ないで「全体」を見る

　統計とは何かを一言でいうならば、「全体」を見ないで「全体」を見るということです。何事にもバラツキが存在します。例えば身長や体重などは人によってさまざまでしょう。では、国ごとに身長や体重がどのように異なるかを考えるにはどうしたらいいでしょうか？

　世界各国の人を1人ずつ連れてきて、議論することは全くの無意味です。ある日本人とあるアメリカ人を比べたところで、わかるのは個人の間の差でしかないのです。かといって、世界中の人をかき集めて議論するということも不可能です。結局のところ、集団としての差や、集団としての違いを見たいのであれば、ヒストグラムや平均値や中央値、四分位数などの数個の統計量に変換して議論するしかないのです。つまり、統計は「全体」を見ないで「全体」を見るためのツールを提供するのです。

　本節では学校教育における確率統計がどのような位置付けなのかを示し、現行のカリキュラムにおける高校1年生（数学Ⅰ）までの確率統計の単元を一通り説明していきます。イラストを交えて直感的にわかるようにしていますが、詳細な学習については専門書を参考にしてください。

　なぜ数学Ⅰの範囲までかというと、数学Ⅰが普通科高校での必修のラインであり、またこのあたりがビジネスパーソンに最低限求められる能力だからです。この能力がなければ、ホワイトカラーとして知的労働を行うことはもはや困難です。また現代の工場では、統計的なQC活動を行い生産性を改善させるためは、この程度の統計能力は必要となってきます。

学校教育における確率統計の強化、確率統計の必修化

　学校教育における確率統計のカリキュラムの強化は、目を見張るものがあります。2008 年、高校数学の指導要領が改訂され、数学 I にデータ分析が加えられました。さらには、2017 年の小中学校の指導要領改訂で、小学校や中学校の数学にも統計の考え方が増えていきました。そして、2022 年の高校数学の指導要領改訂と、それに合わせた 2025 年の大学入試試験の方針から、確率統計は強く重視されることになっています。

　2023 年現在の小中高校における確率統計のカリキュラムは次のようになっています。

学　　年	内　　容
小学校 6 年	平均値、中央値、最頻値、代表値、階級（ヒストグラム）
中学校 1 年	ヒストグラムの相対度数、累積相対度数
中学校 2 年	場合の数と確率、四分位範囲、箱ひげ図
中学校 3 年	標本調査、全数調査、標本調査、無作為抽出、母集団、標本サイズ、標本平均と母平均
高校 数学 I	分散、偏差、標準偏差、散布図、相関係数、仮説検定の考え方
高校 数学 A	場合の数、確率（余事象、期待値）、独立試行、条件付き確率
高校 数学 B	確率分布（確率変数の平均、分散、標準偏差）、二項分布、正規分布、連続型確率変数、母集団と標本、区間推定、仮説検定

　従来は中学校で行っていた平均値や中央値、最頻値、階級は、2018 年からは小学校で行われることになりました。中学校では、ヒストグラムの相対度数、累積度数が行われるようになり、コンピュータシミュレーションを行うための下地を作っています。さらには、四分位範囲や箱ひげ図によるデータの可視化、標本調査も含まれており、統計の可視化とそれを読み取る能力は全員が当たり前に持っていることが、高校入学時点で期待されているのです。

新しい指導要領での大学入試は 2025 年からになります。そのため、いくつかの大学では 2025 年の入試情報が公開されており、どのような範囲で出題するのかが明らかになりつつあります。どこの大学がどの分野を出題するのかは、河合塾のウェブサイト（ https://www.keinet.ne.jp/exam/2025/ ）によく整理されてまとまっています。

河合塾の調査によると、国立大学の 2025 年入試の試験科目調査では、数学 I・II・A・B・C を課す学部（主に文系）では、11％の試験が統計を課しており、数学 I・II・III・A・B・C を課す学部（主に理系）では、21％の試験が統計を課しています。

＜図表 9＞ 2 次数学（数学 B・数学 C）の主な出題範囲

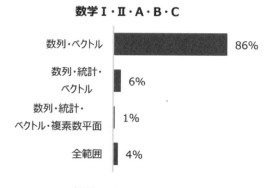

数学 I・II・A・B・C

- 数列・ベクトル 86%
- 数列・統計・ベクトル 6%
- 数列・統計・ベクトル・複素数平面 1%
- 全範囲 4%

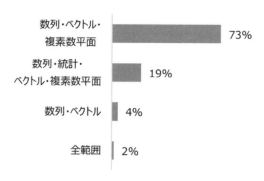

数学 I・II・III・A・B・C

- 数列・ベクトル・複素数平面 73%
- 数列・統計・ベクトル・複素数平面 19%
- 数列・ベクトル 4%
- 全範囲 2%

※2023年3月15日現在、河合塾調べ
※前期日程の 2 次数学を課す区分で集計（大学公表の募集区分に基づき作成）
　統計は「統計的な推測」、複素数平面は「平面上の曲線と複素数平面」の略

https://www.keinet.ne.jp/teacher/exam/topic/23/20230406.pdf

一例として東京大学の文系入試（文科1類、2類、3類）を見てみましょう。

　数学Ⅰ，数学Ⅱ，数学Aは全範囲から出題します。数学Bは「数列」、「統計的な推測」から、数学Cは「ベクトル」から出題します。

「令和7年度東京大学入学者選抜（一般選抜）における出題教科・科目等について〔予告〕」から引用
https://www.u-tokyo.ac.jp/content/400192478.pdf

　このように、東大では文系であっても数学A・Bの確率統計を要求しているのです。このほかにも早稲田大学や慶應義塾大学でも数学A・Bの確率統計の出題が予定されており、上位の大学を狙う高校生にとって、確率統計は実質的に必修となっています。

　筆者が高校生だったころは、数学Bは「数列」「ベクトル」「確率統計」の3つの単元からなり、センター試験ではいずれかからの選択問題でした。二次試験でも確率統計はほとんど出題されないことから、確率統計は授業でまるっと飛ばされていました。当時のカリキュラムを調べると、「確率分布」や「統計処理」は数学Cに入っていたはずですが、数学Cでは行列と複雑な積分をやっていた記憶しかありません。

　筆者のように、高校で「確率統計」の単元が飛ばされてしまった人も多いでしょう。そのため、ビジネスパーソンにとって今の高校生と肩を並べて働くには、確率統計の学び直しが必要なのです。同じ「数学」という科目だからといって、昔と今で学んでいる内容が同じであるとは限らないのです。

　本書では、社会人の学び直しのために、小学校から高校1年の数学Ⅰまでの確率統計のおさらいを一気にやっていきます。

数学の指導要領の改訂趣旨、コンピュータの普及と確率統計、数学的課題解決

　文科省は指導要領の改訂について次のように述べています。これは総説なので、全科目で共通の改訂経緯です。

　こうした変化の一つとして，進化した人工知能（AI）が様々な判断を行ったり，身近な物の働きがインターネット経由で最適化される IoT が広がったりするなど，Society 5.0 とも呼ばれる新たな時代の到来が，社会や生活を大きく変えていくとの予測もなされている。また，情報化やグローバル化が進展する社会においては，多様な事象が複雑さを増し，変化の先行きを見通すことが一層難しくなってきている。

（中略）

　このような時代にあって，学校教育には，子供たちが様々な変化に積極的に向き合い，他者と協働して課題を解決していくことや，様々な情報を見極め，知識の概念的な理解を実現し，情報を再構成するなどして新たな価値につなげていくこと，複雑な状況変化の中で目的を再構築することができるようにすることが求められている。

文部科学省、高等学校学習指導要領（平成 30 年告示）解説 総則編「第 1 章 総説、第 1 節　改訂の経緯及び基本方針」より引用、筆者が強調
https://www.mext.go.jp/content/20211102-mxt_kyoiku02-100002620_1.pdf

---

　改訂経緯の総説としては、社会環境の変化と課題解決能力の獲得が主に挙げられています。つまり、全ての科目において、AI や IoT による社会変革に対応できる能力の獲得を目指した、指導要領の改訂が行われているのです。全ての高校教育がコンピュータが普及した社会を前提とするようになったと言っても過言ではないのです。

　これに対して、数学の指導要領の改訂趣旨は次のようになっています。

　高等学校数学科においては，数学的に考える資質・能力の育成を目指す観点から，現実の世界と数学の世界における問題発見・解決の過程を学習過程に反映させることを意図して数学的活動の一層の充実を図った。また，社会

生活などの様々な場面において、**必要なデータを収集して分析し，その傾向を踏まえて課題を解決したり意思決定をしたりすることが求められており，**そのような資質・能力を育成するため、**統計的な内容等の改善・充実を図った。**このような改訂の方向は、現在、米国等で推進が図られている STEM 教育の動きと同一の方向であると考えられる。

文部科学省、高等学校学習指導要領（平成 30 年告示）解説 数学編 理数編「第 1 章 総説、第 2 節 理数科改訂の趣旨及び要点」より引用、筆者が強調
https://www.mext.go.jp/content/20230217-mxt_kyoiku02-100002620_05.pdf

指導要領改訂の総則に合わせて、数学の指導要領改訂も社会課題の解決を重視したものになっており、そのために統計が必要だとしています。

全体と数学の指導要領改訂趣旨を、筆者の観点から補足し要約すると次のようになります。

- ●コンピュータとインターネットの発達により、取得できるデータ量が飛躍的に増えた。
- ●コンピュータが社会の隅々まで広がり、統計処理は一部の専門家のためだけのものではなくなった。
- ●急速に変化し続ける現実社会の不確実性と向き合って意思決定を行うためには、統計の能力が必要である。
- ● IoT と AI による社会の効率化（≒ Society 5.0）を実現するためには、統計の能力が必要である。

過去と現在で大きく違うのは、誰しもがコンピュータを所有し、誰しもが大規模な統計を行えるようになったことです。かつては政府機関や大学のような場所にしかコンピュータはありませんでした。そのため、政府機関や大学でしか大規模な統計は行えなかったのです。一方現代は、誰しもがパソコンやスマートフォンの形で、高性能なコンピュータを所有しています。統計は能力がありさえすれば誰しもが取り扱えるものになったのです。

ちなみに、総則には Society 5.0 といった日本政府しか使っていないバズワードが、さも前提知識であるかの如く紛れ込んでいますが、これがどういうものかは 4 章で解説します。教科書や政府系資料でもこの言葉は何の前置きもなく登場するので、押さえておかないと教科書も政府系資料も読み解けないという問題児です。

小学校6年（平均値、中央値、最頻値、代表値）

まずは平均値、中央値、最頻値から学んでいきましょう。以下の表は6面ダイス2個を振った際の出目の合計を15回記録したものです。

回数 i	1	2	3	4	5	6	7	8	9	10	11	12	13	14	15
出目 x	9	6	8	10	7	2	5	3	7	4	8	6	8	5	4

最初は平均値の解説からです。これは簡単ですね。出目を全部足して、回数で割ればよいのです。振った回数を n、i 回目の出目を x_i とすると、出目の平均値を $\bar{x}$ は次のように表されます。

$$\bar{x} = \frac{1}{n} \sum_{i=1}^{n} x_i$$

$\bar{x}$ は x の平均値を表します。後々で何度も使うので覚えておいてください。$\sum_{i=1}^{n} x_i$ は x_1 から x_n まで足していくという意味です。この式に実際の出目を入れて計算していきましょう。ちなみに Σ はギリシャ文字のシグマの大文字です。統計をやっているといやになるほど見ることになります。

$$\bar{x} = \frac{1}{15}(9 + 6 + 8 + 10 + 7 + 2 + 5 + 3 + 7 + 4 + 8 + 6 + 8 + 5 + 4) = \frac{92}{15} = 6.133\ldots$$

以上の式を計算すると、平均値 $\bar{x}$ は 6.1333... になりました。

次に中央値です。これは x_i を並べ替えて、ちょうど真ん中になる値を選択します。全体が奇数個の場合計算は簡単です。今回は全部で15個の数字があるので、8番目の数字を選択します。

中央値が8番目というのは（15 - 1）/ 2 + 1 から求められます。15 - 1 は15個の数字から中央の1個を取り除くことを意味します。そしてそれを半分に割ることで、中央の数字よりも小さい側に数が何個あるのかを求めます。最後にその数に1を足すことで、中央の数字の番号にします。

順位	1	2	3	4	5	6	7	8	9	10	11	12	13	14	15
出目 x	2	3	4	4	5	5	6	6	7	7	8	8	8	9	10

　ちなみにデータの個数が偶数だった場合、小さい順に並べた際の中央の2個の数字の平均値が中央値になります。データの個数が20個であった場合、20／2 ＝ 10 が中央よりも左側にある数字なので、10 番目と 11 番目に小さい数字の平均値を中央値とします。

　余談ですが、前の節で解説したソート（並べ替え）はこういった処理に使われます。統計処理を行うにはソートは必須なのです。あまり想像はしたくないですが、国勢調査の結果の1億件超のデータのソートが、総務省統計局では行われていることでしょう。

　続いて最頻値です。最頻値は最も多く登場した値を選択します。今回はダイスの出目の合計という整数値なので、そのまま出現回数を数えてしまいましょう。6面ダイスを2個振った際の出目の合計は、最小で2、最大で12なので、2から12の範囲で数えます。

出目	2	3	4	5	6	7	8	9	10	11	12
出現回数	1	1	2	2	2	2	3	1	1	0	0

最頻値は3回出現した8になります。
以上から平均値は6.133..、中央値は6、最頻値は8となりました。

　代表値は、一般には平均値、中央値、最頻値から、データの傾向を最もよく表すものが選択されます。今回のような2個のダイスの出目の合計値の場合、振る回数を増やしていくと最終的には、平均値も中央値も最頻値も7に収束するので、どれを利用しても同じです。一方で保有資産額のようなものであれば、極端な富豪の人も含まれるので、平均値を代表値として採用するのは不適当かもしれません。

　インターネット上のジョークに、「2021 年にワシントン州の独身男性の平均資産が 500 万円ほど急に増えた」というものがあります。このジョークのオチは、マイクロソフトの創業者のビル・ゲイツの離婚です。1240 億ドルの資産を持つ独身男性がいきなり現れた結果、平均値が急に増えてしまったのです。

このジョークから、これは資産の代表値として平均値を用いることが適当ではないということがわかります。

　ちなみに英語では平均値はアベレージ (Average) やミーン (Mean)、中央値はメディアン (Median)、最頻値はモード (Mode) と言います。ビジネスの現場では、英語で表現されることもあるので、こちらも覚えておきましょう。

　さらに余談ですが、2個のダイスの出目を合計するというのは、ボードゲームや TRPG などでは 2D6 と呼ばれています。2個の 6面ダイスを振るという意味です。12面ダイスを 3個振るなら、3D12 です。Google で「2D6」や「3D12」と検索すると、検索結果画面でダイスが振れるので、急にダイスが必要になったときはこれを使うとよいでしょう。

小学校6年（階級、ヒストグラム）

　ダイスの出目のような、数えられる程度のバリエーションしか出現パターンがないモノであれば、そのまま出現回数を数えてしまって大丈夫です。

　整数値だけであってもバリエーションが豊富なもの（たとえば年収など）や、身長や体重のような実数の値（小数点を含んだ値）をとる場合、ある程度の階級でまとめる処理が必要になります。年収であれば10万円刻みで集計したり、身長であれば5cm刻みで人数をカウントするという処理をする必要があります。これは一般にヒストグラム (histogram) と呼ばれています。

　身長や体重などは実数の値をとるため、無限のバリエーションをとります。クラスの中で体重が65.1575kgの人という人はおそらく他にはいないでしょう。しかし体重が65〜70kgの人であれば、何人かはいることでしょう。階級は連続的な値をとるものをひと固まりの集団として見なす処理なのです。

　階級は適切な範囲に設定することが求められます。身長を100cm刻みの階級でカウントすることには何も意味が無いでしょう（大人か子供か、くらいの判定はできそうですが）。一方で0.1cm刻みでカウントしても、偶然に同じ身長の人が数人集まったところが最頻値となってしまい、正しい傾向を読み取ることはできません。

　それでは実験してみましょう。以下の図は100個のデータを、階級数を変えてヒストグラム化したものです。

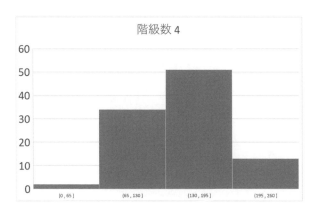

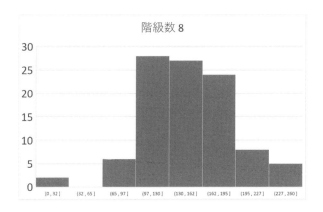

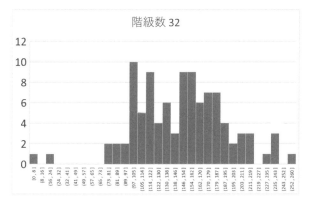

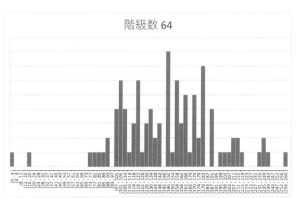

ヒストグラムを作った場合、それぞれの階級の中央の値を、最頻値の値として利用します。階級数 4 の図では、最頻値は (130,195] の階級で 50 回です。なので最頻値は (130+195)/2 = 162.5 となります。同じように、階級数 8 では最頻値は 113.5、階級数 32 では 101、階級数 64 では 148 となります。

　このように階級の切り方次第では、最頻値はコロコロと変わってしまうので注意が必要です。最頻値は階級の切り方次第では恣意的に操作出来てしまいます。平均値や中央値は算術的に求めることができるため、このような変化はしません。

　余談ですが、階級幅を決めるのに便利なのがスタージェスの公式です。これは大学の統計学の範囲になるのですが、階級の数を何個にするべきかというのを求める公式です。階級数を k、標本数を N とすると、次の式で求められます。

$$k = 1 + log_2 N$$

　標本数が 16 個であれば、$log_2 16$ = 4 なので、5 分割すればよいことが分かります。標本数が 32 個であれば k は 6、標本数が 1024 個であれば 11 分割といった具合です。このような分割数であれば、歯抜けが起こり最頻値が変な値になるということが少なくなります。

　今回は 100 件のデータなので 1 + $log_2 100$ ≒ 7.64 から、8 分割程度が妥当なようです。ただし、スタージェスの公式は正規分布を仮定していることに注意してください。

　次の図はさまざまなグラフ形状における平均値、中央値、最頻値です。それぞれのグラフ形状において、平均値、中央値、最頻値がどこに位置するのかを観察してみましょう。平均値、中央値、最頻値、ヒストグラムに関する理解が進むと、平均値、中央値、最頻値が一致するのは、正規分布のような限られたものだけであることがわかってきます。

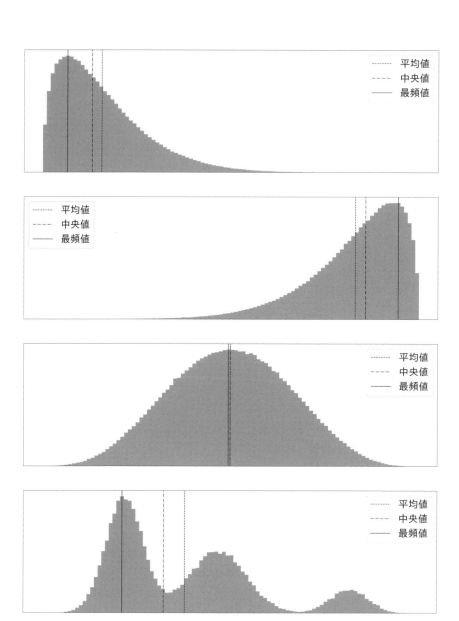

中学校1年（ヒストグラムの相対度数、累積相対度数）

　ヒストグラムの相対度数は簡単です。ヒストグラムの各階級の値を標本数で割ることによって、出現確率に変換することができます。累積相対度数は相対度数を積み上げることによって、全体の小さい順に並べたときに何パーセントの標本がそこの級数に入るのかを知ることができます。

　これは1章で紹介した情報Iの施策試験問題に登場した相対度数、累積相対度数です。

表1　到着間隔と人数

到着間隔（秒）	人数	階級値	相対度数	累積相対度数
0 以上～ 30 未満	6	0 分	0.12	0.12
30 以上～ 90 未満	7	1 分	0.14	0.26
90 以上～150 未満	8	2 分	0.16	0.42
150 以上～210 未満	11	3 分	0.22	0.64
210 以上～270 未満	9	4 分	0.18	0.82
270 以上～330 未満	4	5 分	0.08	0.90
330 以上～390 未満	2	6 分	0.04	0.94
390 以上～450 未満	0	7 分	0.00	0.94
450 以上～510 未満	1	8 分	0.02	0.96
510 以上～570 未満	2	9 分	0.04	1.00
570 以上	0	－	－	－

　到着間隔が0以上30未満の階級には、6人がいます。これを相対度数にするには、全標本数の50で割れば、0.12が出てきます。つまり、全体の12%がこの階級に属するという意味です。そして、もし標本の相対度数と、母集団の相対度数が等しいと仮定したら、新たに標本を得た場合、12%の確率でこの階級の値が得られるだろう、ということが言えます。つまり、相対度数とは、観測結果から導き出されたその階級の出現確率です。

　累積相対度数は、それぞれの級数の相対度数を積み上げたものになり、最小値は0、最大値は1になります。累積相対度数は、さまざまな統計処理を行う

際に都合がよいので、よく利用されます。累積相対度数を一言で説明すると「その階級以下になる確率」です。

　実例を見てみましょう。この表から「到着時間が 330 秒未満の確率は？」という問題を解くにはどうしたらいいでしょうか？　これを求めるのには、階級が「270 以上〜 330 未満」の累積相対度数を読み取ればよいのです。したがってこの答えは 0.90 になります。

　逆に「到着時間が 270 秒以上の確率は？」という問題は、その一つ下の階級の累積相対度数の 0.64 を、全部の確率である 1 から引けば求まります。したがって 1 − 0.64 = 0.36 となります。

　累積相対度数の利点の 1 つに、乱数と組み合わせて使うと、元の分布と似たような分布を持つデータを簡単に生成できる、というものがあります。そして、似たような分布を持つデータが生成できると、コンピュータシミュレーションに利用することができ、異なる前提条件ではどうだったかのかを簡単に知ることができるのです。

　0 以上 1 未満の実数が一様に出てくる一様分布乱数を使い、出た値から階級を求めることで「現実に即したもっともらしいデータ」を作り出すことができます。例えば乱数によって 0.5 という値が出たら、表を読み取り、累積相対度数が 0.42 以上、0.64 未満であるため、その値は階級値は 3 分である、というように変換するのです。このような操作を行うことで、もとの分布と似た分布の別のデータを得ることができます。

　一様分布乱数がどのようなものかわかりづらい場合は、まずはこの画像のような 100 面ダイスを考えてみてください。これは 1 〜 100 までの数字が等しく出てくるダイスです。100 面ダイスの面の数が 1 億倍に増え、100 億面ダイスのようになり、そして出目が 0 〜 1 の実数になったものを想像してください。これで 0 以上 1 未満の実数が等しい確率で出てきます。（厳密に説明するには、連続確率分布の考え方が必要になり、数 B の範囲になるので割愛します）

Photo by: Cyberpunk -
Zocchihedron blue.jpg(2006) /
CC BY 2.0
https://commons.wikimedia.org/
wiki/File:Zocchihedron_blue.jpg

中学校2年（パーセンタイル値、四分位範囲、箱ひげ図）

　パーセンタイル値は中学数学の中には含まれていないのですが、これを理解しておくと後の四分位範囲や、箱ひげ図が理解しやすくなり、また行政が出している各種統計資料などが読みやすくなるので、まずはここから始めます。

　パーセンタイル値を求める前に、まずはパーセンタイル順位を求めていきます。先ほどの平均値や中央値を学ぶ際に使った、6面ダイス2個の出目のソート済みの表を使います（紙面の都合上、縦横を逆にしています）。

　パーセンタイル順位は、最も小さい値の順位を0として、順位を全体の総数から1を引いたもので割ることで求められます。順位が6位であれば、パーセンタイル順位は6 / (15-1) = 42.9%となります。

順位	出目	パーセンタイル順位	備考
0	2	0.0%	最小値
1	3	7.1%	
2	4	14.3%	
3	4	21.4%	第一四分位
4	5	28.6%	
5	5	35.7%	
6	6	42.9%	
7	6	50.0%	第二四分位（中央値）
8	7	57.1%	
9	7	64.3%	
10	8	71.4%	第三四分位
11	8	78.6%	
12	8	85.7%	
13	9	92.9%	
14	10	100.0%	最大値

パーセンタイル順位は、先ほど学んだ累積相対度数とよく似ています。累積相対度数は階級に変換してから割合にして、足し合わせましたが、パーセンタイル順位は階級に変換する処理をしないで求めたものだと思っておけばよいです。

　四分位数とはデータを4分割するための3つの指標（第一四分位、第二四分位、第三四分位）からなります。大量のデータを件数が等しくなるように4分割するためには、3回切る必要があると考えればいいでしょう。四分位数は、パーセンタイル順位から25％、50％、75％の3つの値をとることで簡単に求めることができます。

　パーセンタイル順位がちょうど25％や50％である値が存在しない場合、その直前の値を使ったり、それらを跨ぐ前後の値から線形補間をしたりして求めることになります。線形補間のやり方については、内分点の公式等を使うと簡単に求めることができますが、本書では割愛します。

　四分位数を作ることで、箱ひげ図を作ることができます。箱ひげ図は四分位数に加えて、平均値と最小値と最大値を用いて作図します。これを数直線上やグラフ上に配置することで、データがどのような散らばり方をしているのかが一目でわかるようになります。ちなみに最大値はパーセンタイル順位が100％、最小値はパーセンタイル順位が0％と表現することも可能です。

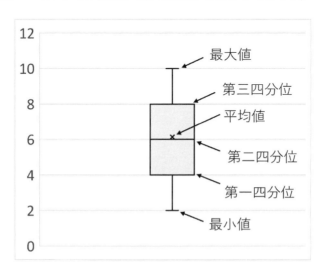

ヒストグラムを複数並べてみることは困難ですが、箱ひげ図であれば複数の要素を並べることができます。以下の図は気象庁が公開している、東京都の1876年から2022年までの毎月の平均気温を、10年ごとに箱ひげ図にしたものです。一つの箱ひげ図には12カ月×10年で120個のデータが存在しています（1870年代と2020年代を除く）。

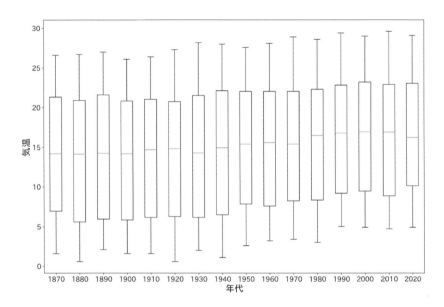

　過去の気温の箱ひげ図を並べてみると、全体がジワジワと上昇している様子が見てとれます。東京都の月平均気温の中央値は、過去130年で2〜3度ほど上昇していそうです。ここから「地球温暖化は怖いですね。地球を大切にしましょう！」という話に持っていってもいいのですが、地球温暖化の影響だけとするのは早計です。

　気象庁によると、2022年時点における地球温暖化は、全世界では100年あたり0.74度の温度上昇です。そのため、東京都の気温上昇とは乖離していることから、これは都市化によるヒートアイランド現象の影響がそれなりに入ったデータであると言えそうです。

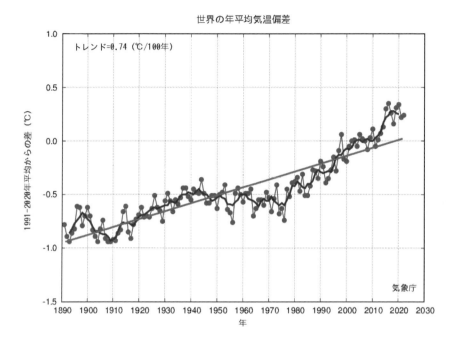

世界の年平均気温偏差

https://www.data.jma.go.jp/cpdinfo/temp/an_wld.html より引用

中学校 3 年（標本調査／全数調査、標本調査、無作為抽出、母集団、標本サイズ、標本平均と母平均）

　標本調査については計算等を特に行わず、用語の解説を通じて、標本調査そのものの解説をしていきます。重要な用語は太字で強調しています。この節の冒頭で「統計は『全体』を見ないで『全体』を見る」と述べましたが、本項を読むとその意味がわかるでしょう。

　調べたい対象の集団を**母集団**といいます。母集団の性質を調べるために、一部を取り出す行為を**抽出**といい、得られたものを**標本**といいます。母集団から標本を抽出し、調査し、母集団の性質を**推定**する一連のサイクルを**標本調査**といいます。

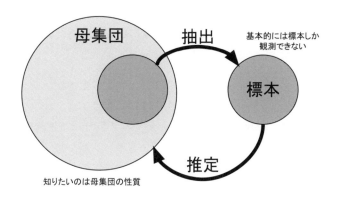

　なぜこのような回りくどいことをするかというと、母集団全体を調べる**全数調査**には途方もない金額がかかるからです。日本人の平均身長を測る、という調査を考えてみましょう。1 人の身長を測るのに 100 円の費用がかかるとしたら、日本人口は 1.25 億人なので、それだけで 125 億円です。

　日本人全員を調べるのではなく、日本人の中から**無作為抽出**された（ランダムに選ばれた）人たちの身長を測るのであれば、費用は安く済みます。調査する人数のことを**標本サイズ**といいます。そして標本サイズが小さければ小さいほど調査コストは下がりますが、母集団の性質をうまく推定できないというトレードオフが発生します。

標本から得られた平均値のことを**標本平均**といいます。母集団全体の平均値を**母平均**といいますが、母集団全体の性質は全数調査をしなくては正しく測ることができません。そのため、一部を取り出して標本調査しても母平均はわからないのです。しかしながら、標本調査を通じて標本平均と標本サイズから、母平均がどれくらいの値の範囲内にありそうかを推定することができます。これを**区間推定**といいます。区間推定については数学 B の範囲なので割愛します。

　標本サイズが大きくなると、標本平均と母平均の値は基本的には近づいていきます。これを**大数の法則**といいます。たとえば 6 面ダイスを何度も振り、出目の平均値を求めると、平均値は徐々に 3.5 に収束していきます。

　全数調査は費用さえかければ行えると思いがちですが、全数調査ができない現象というものもあります。たとえば、イカサマ用の偏りのある 6 面ダイスを振って、どの目がどの程度出やすいかを調査する場合などがこれに当たります。このダイスは何回でも振れるため、全数調査はできないのです。1 回振るのに 1 円のコストがかかるとして、100 億回振ったら 100 億円の費用です。何回程度振ればこのサイコロの性質が分かるのでしょうか？

　もう一つ例として缶詰工場を考えてみましょう。製造された缶詰の中に食中毒菌がいるかどうかを調べるために、工場では生産ラインからの抜き取り調査が行われています。数百個や数千個に 1 個を抜き取り、食中毒菌がいないかを調査するのです。缶詰の中に食中毒菌がいるかどうかを調べるには、缶詰を開けなくてはわかりません。つまりこれは破壊検査なのです。標本調査を行うと、その標本は価値を失ってしまいます。そのため、全数検査をしたら売り物が 1 個もできないのです。何個の製品を調べたら、食中毒菌が製品におそらくついていないだろうことを証明できるのでしょうか？

　どれくらい少ない標本数で全体の性質をうまく語れるのか？　というのが統計学のプロフェッショナルに求められるスキルの一つです。これがうまく活躍している例がテレビ視聴率や選挙速報でしょう。

　ビデオリサーチ社によると、関東の視聴率は**わずか** 2700 世帯に配布された装置から求められています。2020 年以前は 900 世帯でした。この程度の調査で視聴率が精度よく推定できるというのは統計学者の活躍のたまものです。

　選挙速報で、1 ％未満の開票率で当選確定が出ることがよくあります。これ

は開票結果から、各立候補者の得票率の区間推定を行い、その区間推定の値が十分に離れている場合に当選確実が出るのです。たとえば二人の立候補者がいた際に、Aさんの得票率が95％の確率で50〜80％にあり、Bさんの得票率が95％の確率で10〜40％の区間に入っている、と推定できた場合、AさんとBさんの得票率は十分に離れており、推定された区間が重複していないので、Aさんに当選確実が出るのです。

標本調査には、自分が母集団だと認識しているものは本当の母集団なのか、本当に無作為に抽出できているのか、といった問題が付きまといます。これについては本節後半の選択バイアスや出版バイアスの項で解説します。

高校 数学 I（偏差、平均偏差、分散、標準偏差）

　平均偏差、分散や標準偏差は、データがどれくらい散らばっているのか？を定量的に表すための指標です。これを求めるためには、まずは偏差と偏差の二乗を求める必要があります。

　偏差は標本の値から平均値を引くことで求められます。偏差の二乗はそのままの意味です。これについても先ほどの平均値や中央値を学ぶ際に使った、6面ダイス2個の出目のソート済みの表を使います。平均値 x̄ = 59 ／ 15 = 6.133……であることはわかっているので、ここから偏差と偏差の二乗を求めると次のようになります。

順位 i	出目 x_i	偏差 $(x_i - x̄)$	偏差の二乗 $(x_i - x̄)^2$
1	2	-4.13	17.08
2	3	-3.13	9.82
3	4	-2.13	4.55
4	4	-2.13	4.55
5	5	-1.13	1.28
6	5	-1.13	1.28
7	6	-0.13	0.02
8	6	-0.13	0.02
9	7	0.87	0.75
10	7	0.87	0.75
11	8	1.87	3.48
12	8	1.87	3.48
13	8	1.87	3.48
14	9	2.87	8.22
15	10	3.87	14.95

平均偏差は偏差の絶対値の平均値です。なぜ絶対値をとるかというと、偏差をそのまますべて足し合わせると、プラスの値とマイナスの値が打ち消し合い、答えが0になってしまうからです。これは式変形からも代数的に求められるので、興味があったらやってみてください。

$$平均偏差 = \frac{1}{n} \sum_{i=1}^{n} \left| x_i - \bar{x} \right|$$

　平均偏差では、プラスとマイナスが打ち消さないように、絶対値を取り全てプラスの値にしてから平均化します。これによりデータがどれくらいバラついているのかを評価できるようになります。今回のケースでは平均偏差は1.88となりました。

　極端な例を考えてみましょう。標本が全て同一の値であれば、偏差は全て0なので、平均偏差は0になります。標本が2と12がそれぞれ10個ずつの場合、平均値は7、偏差は+5と-5であるため、平均偏差は5となります。そのため、平均偏差の大きさでどれくらいバラついているのかは評価できそうです。

　続いて分散です。平均偏差では偏差の絶対値をとることで、足し合わせたものが打ち消し合ってゼロになることを防ぎました。分散は偏差の二乗をとることで、符号を全て正にし、足したものが打ち消し合わないようにしたものです。二乗しているので、平均偏差よりもかなり大きい値になります。また、二乗しているため平均値から離れた値を強く評価する傾向になります。

　標本の分散は一般にS^2で表現されます。なぜ二乗しているかというと、この値の平方根を取った値を標準偏差と呼んでSで表したいからです。Sはギリシャ文字のシグマ（Sigma）からきています。母集団を対象とした場合の分散はσ^2で表現されます。今回は標本を対象にしているのでS^2を使います。

$$分散 = S^2 = \frac{1}{n} \sum_{i=1}^{n} \left(x_i - \bar{x} \right)^2$$

　今回の標本では$S^2 = 5.266$でした。

分散は新たなデータが追加されたときに計算が容易であったり、統計の公式では分散が式の中の値として利用されるものが多いため、これはこれでよく利用されます。

　続いて標準偏差です。標準偏差は分散の平方根をとることで、単位系を元に戻したものです。例えば、身長のような単位が cm のものの場合、偏差の単位は cm、分散の単位は偏差を二乗しているので cm^2 になります。そのため、分散は元々の単位と異なるので、そのままの形では利用することができないのです。

　平方根をとることによって、元の単位と同じものにすることで、標準偏差を使ったいくつかの便利な考え方が利用できるようになります。

$$標準偏差 = S = \sqrt{S^2} = \sqrt{\frac{1}{n}\sum_{i=1}^{n}\left(x_i - \overline{x}\right)^2}$$

　今回のデータでは、 S = 2.295 でした。

　標準偏差は便利で、観測されたほとんどのデータが、平均値から標準偏差の3倍の範囲内に収まるという経験則があります。 S = 2.295 の3倍は 6.885 です。平均値は 6.133 なので、ここからデータは、 − 0.752 から 13.018 の間にほとんどが含まれているだろうということがわかります。今回のデータは2個の6面ダイスの出目の合計なので、2から12までの数値しかあり得ませんが、これが見事にカバーされています。

　また、元々の分布が正規分布（次図のような単峰性のきれいなカーブ）であった場合、平均値から ± 1 σ で 68.26 ％、 ± 2 σ で 95.44 ％、 ± 3 σ で 99.72 ％の範囲をカバーします。統計を学んだ人であれば、どのような性質のデータなのか（正規分布かどうか）と、平均値と標準偏差を教えられると、どのような分布であるのかを容易に思い描くことができるのです。

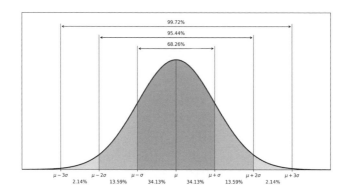

　標準偏差を学ぶことで、みんな大好きな偏差値の話ができるようになります。偏差値とはある標本が全体の中でどれくらい離れているかを求める手法で、次のような式で求められます。

$$偏差値_i = 10\frac{x_i - \overline{x}}{S} + 50$$

　偏差を標準偏差で割ることで、標準的なバラツキの度合いと比べてどれくらい離れているのかを正規化して求めることができるのです。先ほど標本は±3σの中にほとんど収まるという話をしました。ということは偏差を標準偏差で割ったものはほとんどが±3の範囲に収まるわけです。従って、偏差値の式を使うとほとんどのデータが偏差値20〜80の間に収まるのです。

　偏差値70を超える人は母集団に対して何％なのかを計算してみましょう。偏差値が70になるためには、偏差が+2σである必要があります。2σは平均値から95.44％の範囲をカバーし、その上側に2.27％、下側に2.27％の人がいることになります。したがって、正規分布を仮定した場合偏差値70を超える人は、成績上位2.27％の人となります。

　IQは偏差値の計算式から係数を次の式のように変えたものです。そのためIQは85〜115の間に68％の人が収まり、70〜130の間に95％の人が収まります。試験の方式によっては標準偏差あたりの変動幅を15ではなく16を採用しているものもあります。

$$IQ_i = 15\frac{x_i - \overline{x}}{S} + 100$$

高校 数学 I （散布図、相関係数）

　散布図は一つのデータが複数の値を持っている際に活用されます。以下の図は数学の試験の点数を X 軸とし、国語の試験の点数を Y 軸に配置したものです。それぞれの点がある人を表現しています。

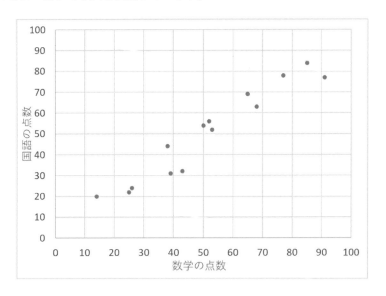

　このグラフをぱっと見せられただけでも、数学の点数と、国語の点数は相関しているとわかります。しかし、これを数学的に 1 つの数値に落とし込んで「数学の点数と、国語の点数は相関している」と主張するにはどのようにするとよいでしょうか？　これを求めるためには偏差積という概念を使います。

　偏差積とは x の偏差と y の偏差の掛け算です。数式としては $(x_i - \bar{x})(y_i - \bar{y})$ となります。偏差積を直感的に理解するために、まずは次の図を見てください。x と y の平均値を基準としてデータを四象限に分けます。右上と左下の象限では偏差積は正になり、左上と右下の象限では偏差積は負になるのです。

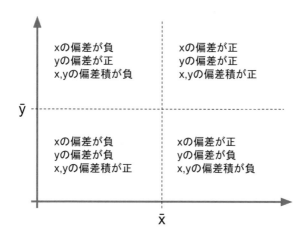

　標本が相関していれば、右上と左下の偏差積が正の領域に標本が分布します。逆相関しているのであれば、左上と右下の偏差積が負の領域に標本が分布するはずです。相関していないとしたら、全ての象限に均等に散らばっているはずです。

　従って、偏差積の平均値が正か負か、値が大きいか小さいかを調べれば、相関しているかどうかがわかりそうです。 x と y の偏差積の平均値を、 x と y の共分散と言います。共分散が大きな値をとるのであれば、正の相関をしていると言えるのです。

$$共分散 = S_{xy} = \frac{1}{n} \sum_{i=1}^{n} (x_i - \bar{x})(y_i - \bar{y})$$

　もし相関していないとしたら、偏差積は正負の値に散らばり相殺し合って、共分散は小さい値になるはずです。もし逆相関しているのであれば、共分散は負の大きな値になるはずです。実際に先ほどの数学と国語の試験成績の標本を使って確認してみましょう。

順番 i	数学の点数 x	国語の点数 y	数学の偏差 $(x_i - \bar{x})$	国語の偏差 $(y_i - \bar{y})$	偏差積 $(x_i - \bar{x})(y_i - \bar{y})$
1	14	20	-38.7	-31.7	1226.6
2	25	22	-27.7	-29.7	822.8
3	26	24	-26.7	-27.7	739.6
4	39	31	-13.7	-20.7	283.8
5	43	32	-9.7	-19.7	191.4
6	38	44	-14.7	-7.7	113.0
7	50	54	-2.7	2.3	-6.4
8	52	56	-0.7	4.3	-3.2
9	53	52	0.3	0.3	0.1
10	65	69	12.3	17.3	212.6
11	65	69	12.3	17.3	212.6
12	68	63	15.3	11.3	173.0
13	85	84	32.3	32.3	1043.3
14	77	78	24.3	26.3	639.0
15	91	77	38.3	25.3	969.4

　以上から共分散を計算すると Sxy = 441.17 となりました。ここから共分散が正の大きな値なので、x と y に相関があると結論付けてもよいのですが、「大きい」とは何と比べて大きいのでしょうか？　441.17 という数字は本当に大きいのでしょうか？

　例えば試験が 100 点満点でなく、1000 点満点であったならば、偏差は 10 倍の大きな値をとります。偏差積はそれぞれの偏差の積なので、偏差の大きさに依存して共分散は大きな値になってしまうのです。

そのため、共分散を偏差の大きさを考慮して正規化することで、適当な範囲の大きさに収めることが求められます。幸い我々は既に偏差の大きさを考えるための指標を持っています。前項で出てきた標準偏差です。共分散を標準偏差で割ることで、値を一定の範囲内に収めることができるのです。この値を相関係数 r と呼びます。

$$r = \frac{S_{xy}}{S_x S_y} = \frac{\frac{1}{n}\sum_{i=1}^{n}\left(x_i - \bar{x}\right)\left(y_i - \bar{y}\right)}{\sqrt{\frac{1}{n}\sum_{i=1}^{n}\left(x_i - \bar{x}\right)^2}\sqrt{\frac{1}{n}\sum_{i=1}^{n}\left(y_i - \bar{y}\right)^2}} = \frac{\sum_{i=1}^{n}\left(x_i - \bar{x}\right)\left(y_i - \bar{y}\right)}{\sqrt{\sum_{i=1}^{n}\left(x_i - \bar{x}\right)^2 \sum_{i=1}^{n}\left(y_i - \bar{y}\right)^2}}$$

　相関係数は、共分散を正規化したものであり、－1から1の範囲をとります。今回は r = 0.897 となりました。相関係数が 0.8 以上あれば一般には強い正の相関があると言っても良いです。そのため、今回のケースでは「国語の点数と数学の点数は、相関係数 r = 0.897 であるため、強く相関している」と主張して良いでしょう。相関係数 r と標本の散らばり方の関係性はおおよそ次の図のような形になっています。

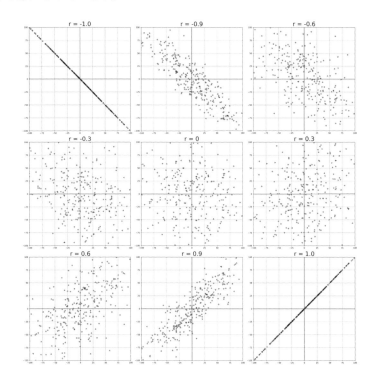

以下の散布図は相関係数がほぼゼロの図ですが、何らかの構造があるように見えます。実際、これは二次関数（y=ax²+b）にノイズを加えて作られた図です。相関係数は一次関数（y=ax+b）で相関していることが前提です。この散布図は相関係数はほぼゼロですが、x^2 に相関しています。複雑な関数に従った構造が裏側にある場合には、相関係数は意味をなさないことがあります。

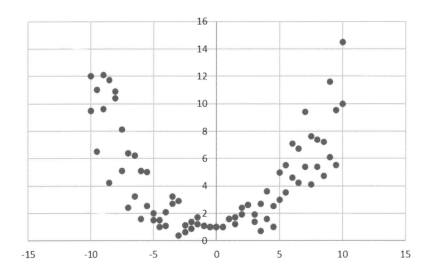

高校 数学Ⅰ （仮説検定の考え方）

　仮説検定そのものについては数学 B の範囲なので本書では割愛し、数学Ⅰで触れられている話をします。また、仮説検定は A/B テストの結果を判断するには必須のスキルとなるため、意思決定を行う立場の人は、身に着けておくことが望ましい能力となっています。

　仮説検定とは、仮説を元にして統計的に考え、仮説と実測値を比べることで、仮説が正しかったかどうかを考えていくことです。例えば「クラスの中で男女に学力の差はない」という仮説を考えるには、男女における成績の平均値や、得点の分布（標準偏差）に差がないことを調べればよさそうです。この値が大きく離れているのであれば、何かがありそうだ、となるわけです。

　これの有名な事例が、相撲の八百長の発見です。シカゴ大学の経済学の教授が、相撲の取組結果を調査したところ、八百長の疑いがあることを発見したのです。この発見は「Winning Isn't Everything: Corruption in Sumo Wrestling（勝利が全てではない、相撲の腐敗）」という論文にまとめられ、公開されています。

　論文の中身の話をする前に、興行としての相撲の仕組みを念のため説明しましょう。相撲では 1 場所あたり 15 日間あり、力士は 1 日に 1 回の取組（試合）を行います。力士の番付（順位）は勝ち越す（8 勝以上）と大きく上がり、負け越すと少し下がる仕組みです。そして力士の給与は番付によって決定されます。そのため力士たちは 15 戦 8 勝以上を目指して戦うことになります。

　取組表は、番付の近い力士同士が選ばれて作られます。そのため、勝率はおそらく五分五分のはずです。ということは、力士たちの 15 日時点の勝敗の分布は、コイントスで表が出る回数とそう変わらないはずです。

　コイントスで表が何回出るか、というのは二項分布で表されます。二項分布に基づいて計算すると、15 戦中 7 回勝利と、15 戦中 8 回勝利は、ほぼ同じ出現確率になるはずです。それでは実際に論文に掲載されていた分布を見てみましょう。Actual Data が実際の勝率、Binominal が二項分布に基づいた期待される勝率です。

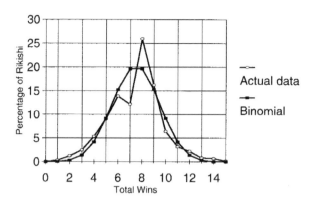

FIGURE 2. WINS IN A SUMO TOURNAMENT
(ACTUAL VS. BINOMIAL)

　このグラフから、7勝が明らかに少なく、8勝が多く、さらには10勝11
勝が期待される値よりも小さくなっています。ここから千秋楽（15日目）の
際に、7勝7敗で番付が上がるか下がるかの瀬戸際の力士が、10勝4敗の番
付が上がることが確定している力士から勝利を譲られている可能性が見えてく
るのです。お金の流れがあるかどうかはさておいても、星のやり取りが無けれ
ば、このような異常な歪み方をするはずがないのです。

　この論文は2002年に発表されましたが、日本相撲協会は特に何も反応しま
せんでした。その後、2010年に力士たちの野球賭博が問題となり、捜査の過
程で力士たちの携帯電話が調査されました。最終的に携帯電話のメールのやり
取りの中から、星の売り買いが発覚し、力士たちの八百長が明らかになり、大
勢の力士の除名に繋がりました。

　日本相撲協会が、この論文が出版された2002年から対応していれば、ここ
までの大事になることはなかったはずです。「八百長をしているのは確からし
いが、誰が八百長をしているかわからない、だから八百長はない」という態度
が招いた結果です。統計的に何か臭いことがあったら、その原因を深掘りしに
いかなくてはなりません。

　なお、相撲の八百長の話は、論文の著者らによって出版された『ヤバい経済
学』（東洋経済新報社）にまとまっていますので、そちらも合わせてごらんく
ださい。

統計だけを見る者は騙される

　統計は大きな集団を数個の統計量に変換し、「全体」を見ないで「全体」を見ることで、意思決定を行いやすくしてくれます。一方で数個の統計量しか見ないのは極めて危険です。

　以下の図は Autodesk の研究者らが作成した、小数点以下二桁で「X の平均値」「Y の平均値」「X の標準偏差」「Y の標準偏差」「X と Y の相関係数」が等しい散布図です。

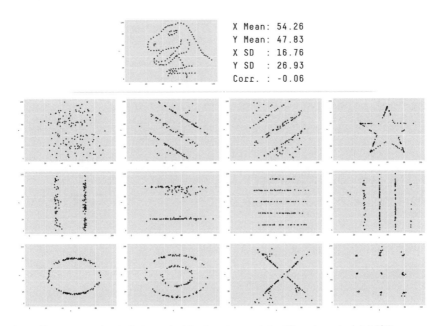

X Mean: 54.26
Y Mean: 47.83
X SD : 16.76
Y SD : 26.93
Corr. : -0.06

https://www.research.autodesk.com/publications/same-stats-different-graphs/ より引用

　統計だけ見て物事を判断しているような人やプログラムは、悪意を持った人が攻撃すると容易に攻略できます。この図のように、平均値や分散、相関係数が等しいデータというのはいくらでも作れてしまうのです。そして、統計を恣意的に用いることで、人やプログラムを騙すこともできてしまいます。

　台湾では「住宅の平均所有率は 85％」という政府広報に対して、「人間の睾丸は平均１個である」という批判が起きました。これは、金持ちは多くの住宅

を所有しているため、平均値で見ることが無意味である、と揶揄するものです。そして、政府広報が出している統計量は恣意的に選択されたプロパガンダであり、分布を見るべきである、と警鐘を鳴らすものです（ちなみに睾丸の数は、0個と2個にピークを持つ多峰性を持つ分布なので、平均値も中央値も最頻値も意味がありません）。

分布が正規分布を仮定できるのであれば、平均値も中央値も最頻値も同じです。しかし、世の中の事柄が全て正規分布に従うわけではありません。年収のように正規分布を仮定できないもの（0円以下の収入はあり得ず、高収入を得る人はいくらでも大きな収入を得られる）のであれば、中央値や最頻値を使うのが適当でしょう。

ましてや、住宅所有を考えるのであれば「住宅を1件以上所有している人の割合」を考えるのが適当でしょう。これは中央値とも最頻値とも違う考え方ですが、住宅を所有する中間層を考える上では重要な指標です。国民全体が裕福になったことを確認したいのですから、それに沿った指標を作るべきなのです。

また昨今話題の、「画像生成AIが描いた画像かどうかを判定するAI」も似たような形でインターネットのオモチャにされています。統計と同様に、機械学習もいい感じの次元圧縮を繰り返して数個の数値から物事を判断しているに過ぎません。学習時に想定していなかった画像を入れれば容易に騙すことができてしまうのです。

そのため、人間が描いた絵でもAIと判定させられたり、AIが描いた絵でも人間だと判定させられるのです。AIに加工された情報を入力して、誤った答えを出力させるのは、敵対的サンプル攻撃（Adversarial Examples Attack）という名前で研究が行われているので、興味があったら検索してみてください。

統計は「全体」を見ないで「全体」を見ることができますが、それはもともとの分布がわかっており、計測時に分布が大きく変化しないことが前提です。計測する条件が異なっており、分布が大きく変わる場合は、統計値による判断は意味をなしません。

そのため、情報を観測する際には、どのような条件下で観測された情報なのかを合わせて記録しておく必要があります。偏った条件を元に観測された偏った情報、すなわちバイアスが乗った情報なのかもしれません。

選択バイアス

標本にはいくつかのバイアスが乗っていることがあります。その一つが選択バイアスです。選択バイアスとは標本抽出を行う際に、特定の傾向のデータが多く集まってしまい、標本が母集団の性質を正しく表すことができていないことを指します。

よくあるダメな例として、インターネット上のアンケート結果から物事を判断するというものがあります。このアンケートは、インターネットを使う人しか答えることができないので、その時点でかなり偏っています。

次に、アンケートに回答する何らかの動機がある人しか、何問もあるアンケートを最後まで回答してくれません。たとえば、アンケートの内容に強い興味がある人や、アンケートに答える時間があるほどの暇人、アンケートの報酬に釣られた人などです。何らかの強い動機がある時点で偏りが生まれてしまうのです。

図にするとこのようになります。インターネット上のアンケート回答者が、全人類の性質を表しているかは、とても怪しいのです。ましてやインターネット利用者の性質を表しているかどうかも、かなり怪しいです。

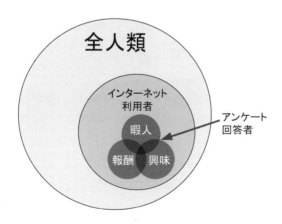

TwitterやFacebookでは、毎年のように「卒論のためにアンケートに回答してください」という発言が回ってきますが、指導教官はちゃんと指導できているのでしょうか。インターネット上での任意アンケートという、何重もの選

択バイアスを経て得られたデータから、何かを言うことは大変危険です。さらには、アンケートに答えた人がSNSでアンケートを拡散することで、似た属性の人にアンケートが届き、標本の偏りがさらに促進されます。

　任意でのアンケートは、どのような意見があったか、という定性的な分析には使うことができます。しかし、どのような意見の人が、どれくらいの割合いるのかといった定量的な分析は、母集団の性質とはかけ離れたものになっている可能性が高いのです。選択バイアスを廃したアンケートをとりたいのであれば、全人類や日本人の集合から無作為に人を選んで、その人から調査をする必要があります。

　例えば世論調査などではRDD（Random Digit Dialing）方式という手法が用いられることがあります。これは電話番号をコンピュータが無作為に生成し、生成された電話番号に対して電話をかけ、世論調査を行うことで、選択バイアスを減らそうとしています。もちろんこれは電話を保有している人という偏りを生みますが、それでもインターネット上でアンケートを募るよりはマシです。

　余談ですが、RDDが失敗した事例として有名なのが、1936年のアメリカ大統領選挙の予想です。この選挙の結果は民主党のフランクリン・ルーズベルトの再選でした。当時、電話はまだ稀少であり、富裕層の所有率が高く、非富裕層では所有率が低いという状態でした。そのため、ある調査会社がRDDを用いたところ富裕層に多く繋がり、富裕層の多い標本から「共和党のアルフレッド・ランドン候補が勝つだろう」という誤った選挙予想をしてしまったのです。

　一方で別の調査会社は、「割り当て法」という手法を用いてルーズベルトの勝利を正しく予想しました。割り当て法は、母集団を「都市部、男性、収入中間層」といった属性ごとに切り分けて、それぞれの属性から標本を取得することで、母集団の性質をうまく保った標本を手に入れる手法です。

情報バイアス

　標本からの情報の取得のやり方によっては、正しい情報が得られないことがあります。たとえば年収を尋ねられた場合、多くの人は自分の年収をとっさには答えられないでしょう。そして自分の年収はだいたいこんなもんだろうと、「だいたい600万円くらいです」といった具合に回答するのです。

　年収を正しく調査するには、確定申告書類などの公的な書類を元にする必要があります。個人の自由回答に任せると、自分の収入を大きく見せようとサバを読んだり、だいたいで端数を切り捨てた数字を答えたりするのです。ちなみに筆者は確定申告を税理士に丸投げしているので、自分の年収がいくらか知りません。

　このほかにも、病院の診察で喫煙や飲酒、運動について聞かれたときに、飲酒や喫煙は過少申告し、運動については過大申告している人も多いのではないでしょうか。誰しも医師から怒られたくないので、怒られないようにサバを読んだ数字を答えるのです。

　実際に、情報バイアスが乗ったデータとして有名なのが男子高校生の身長です。以下の図は令和三年度学校保健統計調査として文科省が出している統計情報を、筆者が可視化を行ったものです（縦軸は千分率）。

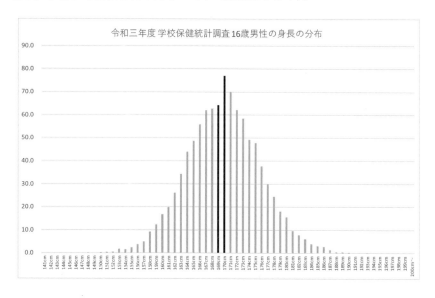

16歳男子の身長のヒストグラムを見ると綺麗な山形をしていますが、169cmの人が妙に少なく、代わりに170cmの人が妙に多くなっています。考えられるのは、一部の学校では生徒に自主的に身長を測らせており、それを自己申告で記入させているから、というシナリオです。そして、自分の身長が170cmあると主張したい169cmの男子高校生が「1cm程度は誤差だよ誤差」とサバを読んでいるのだと思います。誰しもモテたいですから、仕方ありません。

　このように、人は自分が望む方向に向けてサバを読む傾向があります。新薬の開発などでは、これが問題になってきます。患者は新薬を飲んでいると「新薬なのだから効いているに違いない」と思い込み、「新薬は効果があった」と答えてしまうのです。それが患者自身の自然治癒力のおかげであったとしてもです。これでは有効な薬を正しく開発することはできません。そのため、新薬の開発では患者をランダムに、偽薬や先発薬を投与する群と、新薬を投与する群に分けるのです。これにより患者はどちらの薬を投与されているのかわからなくなるので、「新薬なのだから効いているに違いない」と思い込むことはなくなります。これをRCT（Randomized Controlled Trial／ランダム化比較試験）と呼びます。

　また、患者をランダムに分けることは、医療関係者による意図的な選択バイアスを排することにも繋がります。症状が重い患者にだけ先発薬を投与し、症状が軽い患者には新薬を投与することで、新薬の治療成績を良いものに見せる、といった不正を行えなくするのです。

　しかし、これだけでは足りません。観察を行う医師もまた「新薬なのだから効いているに違いない」という思い込みを起こすのです。また医師が新薬が投与されたのかどうかを知っていると、患者は医師の態度から自分に新薬が投与されたのだと気づいてしまうのです。そして観察結果に情報バイアスが乗ってしまうのです。

　こういった問題を解決するために、新薬開発では二重盲検比較試験（ダブルブラインドテスト）という手法が使われています。何が二重なのかというと、患者と医者の両方が、偽薬と新薬のどちらが患者に投与されたのかを知らない状況を作り出すのです。これにより、患者と医師による情報バイアスを排除し、治療成績から新薬の効果があったのかどうかを明らかにしていきます。我々が飲んでいる薬は、このような複雑なプロセスを通じて開発されているのです。

出版バイアス

　選択バイアスと似たものに、出版バイアスというものがあります。出版バイアスとは「成功事例はよく公開される」というものです。そのため、公開されている事例は偏っていることを前提に考えなければなりません。

　企業は多くの研究開発を行っていますが、その大半は製品にならず消えてゆきます。運よく製品になったとしても、また大半がワゴンセール行きです。そして偶然にも成功した製品だけが、大々的にニュースに取り上げられます。そのため、失敗事例はめったに世に出てくることはなく、なぜ失敗したのか、という情報は共有されないのです。そして、偶然に成功した商品の情報が世に溢れた結果、見た人がそれを再現をしようとし、また失敗するのです。

　医療の世界にも似たようなことがあるそうです。風邪のようなありふれた病気は、めったに症例報告されませんが、稀な病気であればあるほど症例報告がなされるのです。そのため、新人の医師は稀な病気を真っ先に疑ってしまい、ありふれた病気を見逃してしまう、という笑い話があるそうです。

「海外は進んでいる、日本は遅れている」というようなことを言う人がよくいますが、多くの場合は誤りです。あなたがニュースサイトに勤める翻訳者だとして、どのようなニュースを翻訳すると会社が儲かるでしょうか。より注目され、より耳目を集めるニュースを優先して翻訳することが、ニュースサイトのアクセス数を稼ぐために有効なのです。

　つまり、「海を渡る価値があるニュースだけが、翻訳コストが支払われて日本に入ってくる」のです。海外ニュースや翻訳書は二重の出版バイアスをくぐり抜けてきた猛者なのです。猛者だけを参考にしてはいけません、その下には数多の見えない死体が転がっています。

　世の中に公開されているデータをかき集めて分析するということは、悪いことではありません。しかし、成功した事例が優先的に公開されているということは、頭の片隅に入れておいてください。あなたの集めたデータは知らず知らずのうちに偏ったものになっている可能性があるのです。あなたが「隣の芝生は青い」と感じるとき、隣人は「青い芝生だけを見せている」のかもしれません。

要件定義は上から下への ブレイクダウン

　なぜ情報Ⅰを全ての高校生が学んでいるのか、なぜ多くの企業がITパスポートを取得させているのか、その答えの一つはソフトウェアを発注するリテラシーを身に着けることにあります。

　ソフトウェアを発注するために必要なのが要件定義能力です。実際にプログラミングができる必要はありません。しかし、「やりたいこと」をブレイクダウンしていって、「コンピュータが実行できそうである」ことを示して、ITシステムとして実装可能であることを主張していく必要があります。

システム開発のⅤ字モデル

　ITシステム開発ではⅤ字モデルという手法が用いられています。この図を見ると「プログラミング」と呼ばれている行為は、システム開発においてはごく一部であることがわかります。

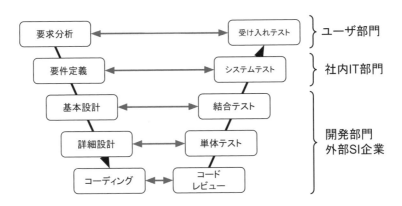

V字モデルでは、要求分析、要件定義、基本設計、詳細設計、コーディング、コードレビュー、単体テスト、結合テスト、システムテスト、受入テスト、という形で開発が進んでいきます。そして、それぞれの階層は対になっており、同じ部門が対応することになります。

　要求分析と受け入れテストは、基本的にITシステムを使うユーザ部門が担当します。要求分析では、自分たちの業務には何が必要なのかを調査し、潜在的な課題を洗い出していきます。そして受け入れテストでは、納品されたソフトウェアは自分たちの要求していた通りの仕事ができるのか、を試験します。

　要件定義とシステムテストは、基本的に社内のIT部門が行います。要件定義は要求に対してITシステムとして何が実現可能なのかの取捨選択を行い、何を作れば要求を満たすシステムが作れたことになるのかを検討します。このほかにも、予算、スケジュール、人員の見積もり、コミュニケーション方法の確定などがあります。

　システムテストは、納品された複数のシステムが協調して全体として正しく動作しているのかをテストし、要件定義で行った想定通りに動いているかどうかを調査します。

基本設計、詳細設計、コーディング、コードレビュー、単体テスト、結合テストについては、実際に開発するSI会社やIT部門の仕事になります。IT開発能力がある人が発注側にいる場合、コードレビューへの参加を行うことがあります。また、発注側は単体テスト、結合テストの進捗から全体のスケジュールの管理や、場合によっては開発範囲の変更などを行います。

　V字モデルの図を書いてみると、正しくSI企業を使わないといけないということがわかってきます。SI企業の成功はV字モデルを完遂して、要件定義に沿ったシステムが納入できることです。システムテストの突破がゴールになるのです。一方で発注側のゴールは、導入されたシステムから得られる課題解決です。受け入れテストの先にある、顧客へのサービス提供が価値に繋がるのです。

　SI企業としては、指示されたものを作るのが仕事であり、ユーザ企業のビジネスの成功は無関係なのです。ということは、正しく要件定義を行わない限り、正しいものはでき上がってこないのです。だから要件定義は大切なのです。

このほかにも要件定義では、リスクの可視化と低減、ステークホルダーとの合意、コミュニケーション手段の確立、スケジュール調整、運用計画の作成、瑕疵対応の範囲の合意、機能要件と非機能要件の分離、性能要件の目標数値の設定、などが含まれますが、これらについては割愛します。

小規模な案件のV字モデル

前項ではV字モデルを教科書通りに説明してきましたが、これは開発者が100人を超えるような大規模な案件の場合です。もっと小規模な案件や、現代的なアジャイルなアプローチをとる場合、V字モデルほど明確に役割が分かれていません。もっと階層は小さく、「要件定義」「実装」「受け入れテスト（検収）」程度になります。そのため、ビジネスの現場では、V字モデルにおける要求分析と要件定義をまとめて「要件定義」と呼んでいることが大半です。

そのため要件定義とは何か？を雑に説明すると、「やりたいことをヒアリングして、整理して、それを実現するには何が必要なのかを考える」ことになるのです。

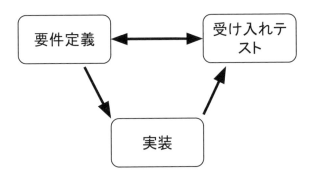

また、要求分析でヒアリングを行う人と、要件定義で問題を分解する人が別人の場合、伝言ゲームで情報が欠落してしまうことが多いため、同じ人が行ったほうが効率的です。そういった観点からも、要求分析と要件定義をまとめて「要件定義」と呼んでいることがあります。

やりたいことをヒアリングする

「やりたいことをヒアリングして整理すること」これは簡単なように見えて非常に難しいのです。専門業務として「要求分析」と名前がついているくらいに難しいのです。

人は自分が困っているということはわかっていても、なぜ困っているのかをうまく言語化できないことが多々あります。有名なマーケティングの格言に「顧客が欲しいのはドリルではなく穴である」というものがあります。これを題材に考えてみましょう。

ドリルは穴を空けるために欲しいのです。ではなぜ穴が欲しいのでしょうか？　本当の目的は何なのでしょうか？　実はこのような背景があったのかもしれません。

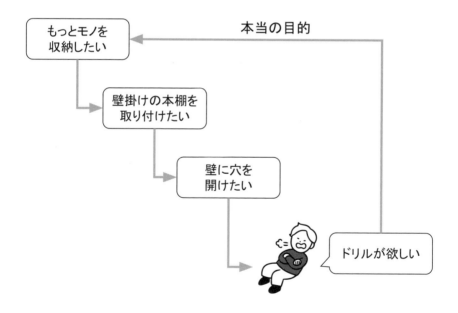

「穴を開けること」は、「もっとモノを収納したい」という本当の目的を達成するための、手段の手段に過ぎないのです。どうやったら、「ドリルが欲しい」と言っている人から、本当の目的を引き出すことができるのでしょうか。

これは時間をかけてヒアリングをしたり、また別の人や別の部署から何が困っているのかをヒアリングし、本当の問題を探っていくしかないのです。一人からだけヒアリングしても、その人が気になっている目線しか答えてくれないのです。複数の人からヒアリングをすることで、さまざまな目線からの問題を明らかにしていくのです。

　さまざまな拠点があり、そこでさまざまな業務が行われているような場合、1拠点1職種だけで話を聞いても、本当の課題を見つけることはできません。そもそも、多拠点の場合、各現場で独自のやり方になってることが多く、一か所でだけでヒアリングしても、その現場の独自のやり方が得られるだけです、そのため、その現場の独自のやり方を元にITシステムを作り、他拠点に導入してもやり方が違うので導入に失敗するのです。

　こういった事故を避けるためには、各現場、各職種に話を聞きに行くしかないのです。そして足で稼いで得られたヒアリング結果から、本当は何が必要だったのかを考えていくのです。

要望は聞く。聞いた上で無視して、
本当の課題を解決する

「もし顧客に、彼らの望むものを聞いていたら、彼らは『もっと速い馬が欲しい』と答えていただろう」という格言を聞いたことがある人も多いでしょう。これはヘンリー・フォードがT型フォードを開発する際に言ったとされている格言です（ただし、フォードが言ったという証拠は無いようです）。

ヒアリングを受けた人は、本当に欲しいものを答えられないことがよくあります。「自動車」を知らなければ、「自動車が欲しい」とは答えられないのです。情報IやITパスポートを勉強する理由の一端がここにあります。世の中にどのようなITシステムがあるのか、ITサービスがあるのかを知ることで「自動車を作るべきだ」と言えるようになるのです。

また、顧客の言う「より速い馬が欲しい」の本当の理由を探っていくと、実は「友人と会いたい」なのかもしれません。すると提供するべきなのは、自動車ではなく、ビデオ会議システムになるのかもしれません。本当の目的を探ることで、表面上は同じニーズであっても、別のものを提供することが答えになることはよくあるのです。

日本企業は解雇権が制限されているため、ITシステムの導入の前後で、同じ人が雇用され続けることがよくあります。そのため、業務を行っている人に対してヒアリングを行ってしまうと、ITシステム導入以後も自分たちの業務が変化しないように、新たなスキルの勉強をしなくてもよいように、これまでの紙の業務がそのままの形でデジタル化されることを望んでしまいます。誰しも雇用の不安を抱えたくないし、ましてや勉強なんてしたくないのです。

行政が出す書類は、紙をそのままの形でExcelファイル化したものがよくあります。特に1文字ごとに別のセルに入力をさせるようなものは、インターネットスラングで「ネ申Excel（紙と神をかけている）」と呼ばれています。次ページは呉市の納税関連の申請書類です。本来であれば、何がデータベースに格納されるのかを考え、Webフォームのようなものを作成するべきなのです。そして、紙での保存や出力が必要なのであればデータベースから印刷するべきなのです。

市・県民税　特別徴収への切替申請書

https://www.city.kure.lg.jp/soshiki/42/sizei-kojinsiminzei.html

　このような Excel ファイルへの情報の記入は、著しく時間がかかります。さらには、Microsoft Office を購入していない人は記入ができず、申請が行えないという弊害を生み出します。

　行政が申請書を求める本当の目的は、データベース化すること、必要に応じてデータベースから情報が取り出せること、申請に基づいて行政手続きが行われることなのです。現場が自分たちの判断で、自分たちの業務をそのままの形で、自分たちのスキルの範囲内でデジタル化しようとすると、こういった Excel を方眼紙として使ったものができ上がります。

　そのため、こういった神 Excel を作らないためにも、神 Excel による業務効率の悪化を引き起こさないためにも、現場の話はちゃんと聞き、現場が要求する「速い馬」を作らない意思決定をすることが大切です。

要件定義はブレイクダウンとすり合わせ

　やりたいことがまとまったら、本当の目的を掘り起こすことができたら、次に行うのが「実現するには何が必要なのかを考えること」です。これが要件定義の後半戦になります。そして、実は本章の「プログラミングとは何か？CPU象を評す」で、既に本質は書いていたりします。

「無意識を意識する」のがプログラムの設計プロセスになります。「見ればわかる」という言葉は禁句です。なぜなら、それは人間の考え方だからです。プログラムの設計のためには、人間が行っている無意識の動作を、意識的に記述する必要があるのです。（中略）
プログラミングとは、コードを書くことだけではありません。このように、大きな問題を小さな問題へ、そしてより小さい問題へと分解することを繰り返して、コンピュータが実行可能な小問題の集合へと帰着させることも含まれます。

　要件定義とは、やりたいことの分解を繰り返していって、最終的に「コンピュータが実行できること」に還元していく作業です。「細胞培養を行うロボット」という課題を分解していっても、1段目、2段目の分解では、まだまだ個別具体性が高く、コンピュータが実行できることの集合に還元できていません。分解を繰り返していくと3段目くらいから「コンピュータが実行できることとしてよく知られていること」に還元できています。

要件定義はブレイクダウン

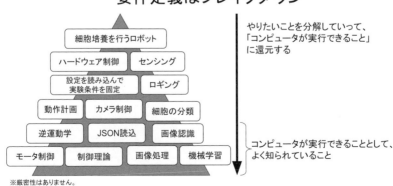

※厳密性はありません。

もう少し別の図も見てみましょう。この図は ChatGPT に、Facebook のような SNS サービスに必要な機能を列挙させ、それを 3 段階の深掘りをさせ、さらに作図させたものです。

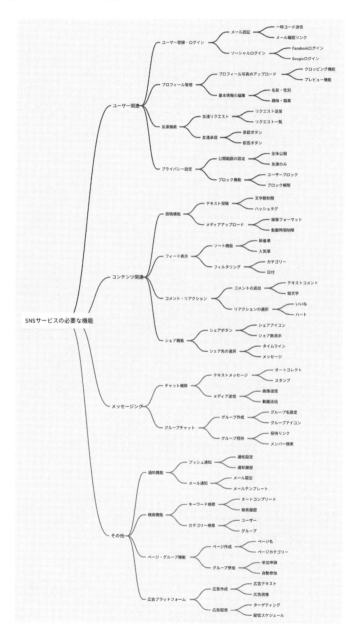

このように、必要とする機能を何段階にもブレイクダウンしていくと、ようやくプログラムとして何が必要なのかが見えてくるのです。末端にある「一時コード確認」や「メール認証リンク」といった機能であれば、何をプログラムで作ればよいのかが明確になってきます。

要件定義は上と下とのすり合わせ

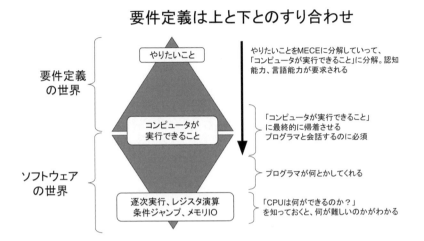

問題をブレイクダウンしていくには、それぞれの機能がどのような下位機能から成り立っているのかを考える必要があります。ブレイクダウンのプロセスには、物事をMECE（ミーシー／Mutually Exclusive and Collectively Exhaustiveの頭文字を取った造語／モレなくダブリなくと訳される）に分解していき、コンピュータが実行できることに還元する、高い言語能力や認知能力が要求されます。機能を構成要素に分解した後には、構成要素を全て使うともとの機能が作れるかという、逆向きのプロセスを通じて、抜け漏れがないか考えていくことになります。

要件定義では、「コンピュータが実行できること」という知識と、「物事をMECEに分解していく」という言語・認知能力の両面が必要になるのです。ITの知識だけを詰め込んでも要件定義はできるようになりません。言語・認知能力を用いて、分解と再構築を繰り返す還元主義的な活動が求められるのです。そして、「コンピュータが実行できること」にうまく問題を分解できるようにすり合わせを行っていくのです。

以上から要件定義の難しさの一端が見えてきたのではないでしょうか。「人間が無意識に行っていることを意識的に記述する認知能力・言語化能力」「大問題を小問題に分解する能力」「コンピュータが実行できることに関する知識」このようなものを全て持ち合わせた上で、何度も分解と再構築を繰り返して、ITサービスの実現可能性を探っていくことになるのです。これが非IT企業で、ITシステムを発注する側に求められていることなのです。

なぜ数学や情報技術は課題解決ができるのか？

　これは高校数学の指導要領に書かれていた、「算数・数学の学習過程のイメージ」という図を筆者が書き直したものです。この図は大きく分けると、右側のサイクルと左側のサイクルの2つがあります。この図はなぜ数学が課題解決できるのか、ということを端的に表しています。

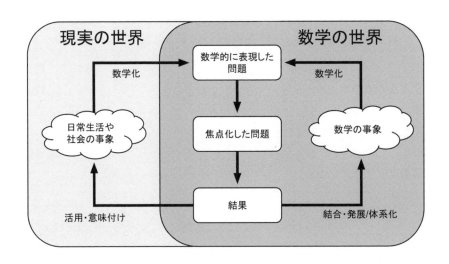

　右側のサイクルは、比較的わかりやすいです。数の概念を学び、足し算を学んだら、足し算を発展させて掛け算を学び、掛け算を学んだら、掛け算を発展させて分数と割り算を学び、掛け算と分数を組み合わせて、分数の掛け算を学び……といった具合です。数学は概念を発展させ、組み合わせるという形で、次々と複雑・高度化していきます。

　左側のサイクルは、現実にある問題を数学の世界へと抽象化し、数学の世界で答えを出し、現実の世界へと反映させるということを示しています。「みかんが3個あります、リンゴが2個あります。あわせて何個でしょうか？」というような簡単な問題を考えてみましょう。

　現実世界では、みかんとリンゴは別物だと一目見てわかります。それでは、違うものを同じものとして取り扱ってしまっていいのでしょうか？　数学の世

界に抽象化しない場合、これはどこまでいっても、みかん３個とリンゴ２個な
のです。

　それに対して、みかんとリンゴを数学の世界に抽象化してしまえば、球状の
ものが３個と、球状のものが２個になります。そして「３＋２」という式がで
き上がり、そこには５個の球状の何かがあるということがわかるわけです。そ
して５という数字を現実世界に反映し直し「リンゴとみかんはあわせて５個
ある」という答えに繋がっていきます。

　もう少し難しい問題も考えてみましょう。2019 年に出版された書籍『ケー
キの切れない非行少年たち』（新潮新書）は、累計 120 万部のベストセラーに
なりました。

　この書籍の中では、少年院に来る中学生や高校生の一部は、ケーキを３等分
する問題が解けなかった、ということが報告されています。そこから、認知能
力の低さや IQ の低さが原因となり、計画性や見通しの甘さに繋がり、非行や
犯罪を行ってしまい、少年院に来ることになってしまっているのではないか？
と問題提起をしています。

　それでは、ケーキを３分割するにはどうしたらいいのか？という問題を考え
てみましょう。これはなかなかに難しいことです。なぜなら、問題を数学の世
界に落とし込むことが体に染みついていないと解けない問題だからです。

　まず、ケーキを円と同じだと見なす抽象化が必要です。次に円の中心角の大
きさは面積に比例する、という扇形の公式の理解が必要です。加えて「等分す
る」ということは面積を等しく分割するという数学の言葉の理解が必要です。
さらには、円の角度は１周で 360 度であり、その 1/3 は 120 度であるという
計算が必要です。そして、120 度がどの程度の大きさなのかという体感が必要
です。

　たかが３等分、されど３等分です。３等分をするには、数学の世界で物事を
考える習慣が必要なのです。本書を手に取るような人にとっては、この程度の
問題は、数学の世界の問題に変換して解いているという意識すらないでしょう。
しかし世の中にはもっと難しい問題がごまんとあります。そういった問題は、
意識的に枝葉を切り捨てて抽象化を行い、数学の世界へと変換しなくては解く
ことができないのです。

この２つのサイクルの図はさまざまなことに当てはまります。例えば法律などもこれに該当します。法律の文章の中には特定の個人を指して「Ａさんは〇〇してはならない」とは書かれていません。例えば傷害罪の条文は「人の身体を傷害した者は、十五年以下の懲役又は五十万円以下の罰金に処する」とされています。Ａさんが何らかの行為を行った場合、Ａさんを「人」として抽象化を行い、法の世界に従って処理を行い、その結果を現実のＡさんに当てはめ、刑罰を確定させるわけです。これが裁判と呼ばれる行為だったりします。

　情報も数学と同様に、現実の世界のサイクルと、情報の世界のサイクルで２つあります。

　右側の情報の世界は、純然たるコンピュータサイエンスの世界です。こちらはアルゴリズムからより複雑なアルゴリズムが作られ、情報処理によって解ける世界が広がっていく過程です。アルゴリズムの勉強や、新しいアルゴリズムの開発はこちら側の世界に属します。

　左側の現実の世界のサイクルとは、ITシステム全般が属する世界です。人間が行っている社会活動を何らかの形で抽象化し、情報化し、処理し、そして結果が人間へと戻っていきます。最近では機械化の進展やロボットの登場、そしてスマートフォンにより、人間社会への結果の反映すらも自動化されています。これにより、IT産業は莫大な富を稼ぐことができるわけです。要件定義とは、この左側のサイクルをいかに確立するか、確立できそうかを考えることなのです。

コンピュータはゼロとイチではない。
理論とデファクトスタンダード

　実は、コンピュータサイエンスと2進法は直接的には関係がありません。少し歴史の話をしましょう。コンピュータの父の一人であるアラン・チューリングが発表した、「チューリングマシン」という概念があります。これは1936年に発表され、現代のコンピュータの基礎概念の一つになっています。

　チューリングマシンは、無限に長い紙テープと、テープを読み書きするヘッド、そしてヘッドの動きを決める一連の規則からなります。規則とは、現在の状態と紙テープから読み取った記号を元に、次にヘッドが左右のどちらに動くのか、そして、ヘッドのある場所に何らかの記号を書き込むかどうかが記載されています。規則と紙テープ上の情報から最終的に、「受理」か「拒否」を出力します。

　これの何がスゴイのかというのを解説してもよいのですが、ここで着目しているのは2進数の話です。この説明の中に2進数は出てきません。出てきているのは紙テープ上に書かれている何らかの「記号」です。それは有限集合でありさえすればなんでもよいのです。穿孔テープのような、穴の有り無しで2進数を表現するようなものであったり、アルファベットの集合（26個のアルファベットによる26進数）のようなものでもよいのです。

　もう少し歴史の話をしましょう。1946年に開発された最初期の真空管式のコンピュータのENIAC（右上写真）では、10進数が使われていました。1桁あたり36個の真空管を使い、何個の真空管が有効化（状態を記録できるフリップフロップ型の真空管）されているのかで数を表していました。これは10進数で作られた機械式計算機を電子的に模したものであるためです。

https://ja.wikipedia.org/wiki/ENIAC#/media/%E3%83%95%E3%82%A1%E3%82%A4%E3%83%AB
:Glen_Beck_and_Betty_Snyder_program_the_ENIAC_in_building_328_at_the_Ballistic_Research_
Laboratory.jpg

またソ連で 1959 年に開発された Setun というコンピュータは、－１、０、１の３つの値からなる特殊な３進法が用いられていました。この体系は負の値を表現するために特殊な実装が不要という特徴があります。現代のコンピュータでは整数は最上位のビットが立っていたら負の値と見なす、といった特殊な処理が行われています。そのため大小比較などの回路は少々複雑になるのです。

このように、コンピュータであることや、計算ができることと、２進法を採用した計算機であることは直接的には関係がないのです。ではなぜ多くのコンピュータ関連の資料で２進法が登場するのでしょうか？

コンピュータに使われている素子には、古くは電磁リレーや真空管、現代では半導体が用いられています。これらの素子は電流や電圧のオンオフで動作しています。そのため２進法と相性が良いのです。２進法を採用することで、効率的かつ高速な回路を作ることができるのです。

つまり、コンピュータは実用上２進数が採用されているだけに過ぎないのです。将来、３進数や５進数の効率的な回路素子が生まれた場合、コンピュータは２進数で動いている、という常識は崩れ去る可能性があります（まずあり得ないですが）。つまり、２進数ですらハードウェアの要請からくるデファ

クトスタンダードに過ぎないのです。

　人類が多くの箇所で10進法を採用しているのも、両手で10本の指があるから、10進法が便利だったというだけに過ぎません。人類の指が両手で14本であったなら、14進法が採用されていたことでしょう。そして10進法だから、14進法だからといって計算結果に違いが生じるわけではありません。ましてや2進法で表しても同様です。

　現代のSDカードなどに使われているNAND型フラッシュメモリでは、既に0と1の2値ではなく、4値（MLC、2bit）、8値（TLC、3bit）、16値（QLC、4bit）で記録されているものがあります。記録メディアは既に2進数ではなくなっていたりします（最終的に2進数に還元されますが）。

　コンピュータサイエンスとしては、ハードウェアが何進数でも構わないのです。どんな基数であっても、有限集合や有限桁のデータであれば表現できてしまうからです。アルゴリズムの本質は物事を記号化や量子化を行うことで有限集合にし、これを決まった手順で処理していくことです。

「情報」に関する資料の多くは、理論とデファクトスタンダードが混然一体になってしまっています。下手な資料を読むと、個別具体の技術に囚われてしまい、本質に到達できないこともあります。

　例えば情報の圧縮や分散処理などは理論ですが、TCP/IPを用いた通信や、HTMLの仕組み、DNSの仕組み、ZIPによる圧縮、このようなものはデファクトスタンダードの実装の側に属します。

　理論と実装（デファクトスタンダード）をうまく分けて考えることが、「情報」に対して求められる学習の姿勢です。既存の「情報I」や「ITパスポート」の書籍には実はこの視点が欠けているものが多いのです。

## 第 4 章

情報Iを超えて、いま学ぶべきこと

　本章は「プログラミングから機械学習へ」「生成 AI による社会変革」「政府系バズワード解説」の３つの項からなります。いずれも、情報 I の範囲を少し飛び越えていますが、IT パスポートを取得となると避けては通れない項目です。

「プログラミングから機械学習へ」では、プログラミングはある程度わかるが、機械学習はよくわからない、機械学習はブラックボックスとして使っている、という人に向けた内容になっています。プログラミングと機械学習が地続きの技術であることを、簡単な数式を元に確認していきます。

「生成 AI による社会変革」では、生成 AI が IT パスポートの試験に含まれることが予定されているため、試験で追加される項目と、ChatGPT をはじめとする大規模言語モデルの特性、有効な利用法を紹介します。

「政府系バズワード解説」では、日本政府がよく使う専門用語の解説を行っていきます。これらは解説無しに政府資料や教科書に使われることが多いため、これを理解しておかなければ、政府資料や教科書が読み解けないためです。

プログラミングから
機械学習へ

　本節はプログラミングの初歩がわからないと難しく感じるかもしれません。プログラミングの初歩である if 文から、機械学習が地続きであることを解説していきます。これにより、機械学習がブラックボックスではなく、普通のプログラムの延長線上にあるものとして理解できることをゴールとしています。また本節は、サイボウズ・ラボの西尾泰和氏から許諾を得て、同氏が公開している「if 文から機械学習への道」と「ルールベースから機械学習への道」という資料を元に作成されています。

https://www.slideshare.net/nishio/if-80195170
https://www.slideshare.net/nishio/ss-53221829

if 文から多項式へ

　まずは if 文のおさらいからしていきます。if 文は条件式の中身が真のときに、その中身を実行していきます。条件式は a>10 のようなものです。この場合、a が 10 よりも大きければ、その中身が実行されます。

```
if ( a > 10 ) {
  do_something()
}
```

　それでは、x1 と x2 という 2 つの真偽値（真 = true と偽 = false の 2 値を持つデータ型。bool 型とも呼ばれる）のどちらかが true のときに、do_something() を実行したいならどうしたらいいでしょうか？　これは or で繋

げばよいです。

```
if (x1 or x2) {
  do_something()
}
```

　次は x1 と x2 の両方が true のときに do_something() を実行したい場合はどうしたらいいでしょうか？これは and で繋げばよいです。

```
if (x1 and x2) {
  do_something()
}
```

　では、3 つの変数（x1, x2, x3）のうち、2 つ以上が true のときに do_something() を実行したいなら、どうすればよいでしょうか？　これは複雑な and と or が必要です。なぜこれで 2 つ以上が true のときに実行されるかを考えてみましょう。

```
if ((x1 and x2) or (x1 and x3) or (x2 and x3)){
  do_something()
}
```

　それでは、5 つの変数（x1, x2, x3, x4, x5）のうち、3 つ以上が true のときに do_something() を実行したいなら、どうすればよいでしょうか？　これにはさらに複雑な and と or の結合が必要です。

```
if ((x1 and x2 and x3) or (x1 and x2 and x4) or (x1 and x2 and x5) or
   (x1 and x3 and x4) or (x1 and x3 and x5) or (x1 and x4 and x5) or
   (x2 and x3 and x4) or (x2 and x3 and x5) or (x2 and x4 and x5) or
   (x3 and x4 and x5) ) {
  do_something()
}
```

　数学的には 5 個の中から 3 個選ぶ組合せを列挙する必要があるので、$_5C_3 = 10$ 通りが必要です。実際に条件式も 10 個あるので大丈夫そうです。

　とはいえ、こんな複雑な式は書いていられません。世のプログラマはこのような面倒な問題をどう解いているのでしょうか。それは、真偽値を数値にして

考えます。x1 〜 x5 の中身を true, false ではなく、1 と 0 で考えてみましょう。すると、「変数のうち 3 つ以上 true」は「変数を全部足したら 3 以上」という形に変形できます。

```
if ((x1 + x2 + x3 + x4 + x5) >= 3){
  do_something()
}
```

　同じように「変数のうち 2 つ以上 true」は「変数を全部足したら 2 以上」という形に変形できます。

```
if ((x1 + x2 + x3 + x4 + x5) >= 2){
  do_something()
}
```

「変数が全部 true」は「変数を全部足したら 5 以上」という形に変形できます。

```
if ((x1 + x2 + x3 + x4 + x5) >= 5){
  do_something()
}
```

　これらの式はよく見ると似た形をしています。「変数を全部足したら 2 以上」を例にとって、右辺が 1 になるように式変形してみましょう。

```
if ((x1 + x2 + x3 + x4 + x5) >= 2) { do_something() }
  ↓
if (0.5 * (x1 + x2 + x3 + x4 + x5) >= 1) { do_something() }
  ↓
if (0.5 * x1 + 0.5 * x2 + 0.5 * x3 + 0.5 * x4 + 0.5 * x5 >= 1) { do_something()
}
```

　このように式変形をしてみると、x1 〜 x5 の係数を弄ると、いろいろと面白そうなことができそうなことが見えてきませんか？　試しに x5 の係数に大きな負の値を入れてみましょう。するとこのような式になります。

```
if (0.5 * x1 + 0.5 * x2 + 0.5 * x3 + 0.5 * x4 -999 * x5 >= 1) { do_something()
}
```

この式を解釈すると、「x1,x2,x3,x4 のいずれか 2 つが 1 で、かつ x5 が 1 ではない」ときに if 文が成立するように見えます。x5 が 1 のときに左辺は大きな負の値になるので、この条件式は成立しないのがわかります。

　さらには、「x1 が 1 であれば無条件に式が成立」という条件を付け加えるために、x1 の係数を調整してみましょう。これは x1 の係数を、x5 の係数の絶対値よりもはるかに大きくすればよさそうです。

if (99999 * x1 + 0.5 * x2 + 0.5 * x3 + 0.5 * x4 -999 * x5 >= 1) { do_something() }

　これで、「x1 が 1 のときは無条件に成立、もしくは x2,x3,x4 のいずれか 2 つが 1 であり、かつ、x5 が 0 のときに成立する」という複雑な条件式が、各変数の係数の調整だけで実現できてしまいました。実はこの式は人工ニューロンと呼ばれており、今流行りの機械学習やニューラルネット（多層パーセプトロン）のご先祖様にあたります。

　今回は人間が条件式を作っていましたが、多数の観測結果から条件式を作り出すのが機械学習になります。

パーセプトロンによる、機械学習の基礎

　先ほどの人工ニューロンの式を少し変形していきます。前の式と見比べて、右辺の1が左辺に移行してbになっただけで、この式と等しいことを確認してみてください。これはパーセプトロンと呼ばれています。

$$f(X) = \begin{cases} 1 & \text{if } \sum w_i x_i + b > 0, \\ 0 & \text{otherwise} \end{cases}$$

　先ほどは複雑な条件式に合致するように、人間が手動で係数（変数の重み）を決定しましたが、この係数 w_i と b を自動的に決める仕組みが機械学習になります。

　w_i と b を同時に弄るのは面倒なので、ちょっとだけ式変形をして b を w_i と同列に扱えるように $x_0=1$, $w_0=b$ としましょう。すると、パーセプトロンは次のような図になります。

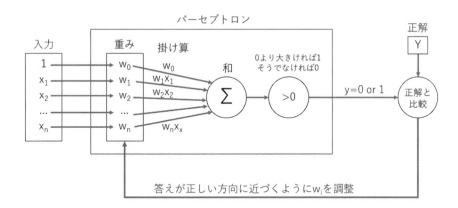

　それではパーセプトロンが学習していく流れを見てみましょう。

　まず w_i をランダムな初期値に設定します(例えば -10 ～ 10 の実数)。そして、ある変数群 X と正解 Y の複数セット（教師データ）を用いて学習を行います。X の中には $(x_1, x_2, \cdots x_n)$ が入っています。

あるXの予測値yが1で、正解Yが0であった場合、Σ w_ix_i の値が大きすぎたとわかります。そのため、x_i が1である w_i について、少し小さい値に更新することで、Σ w_ix_i の値が小さくなるようにします。逆に、あるXの予測値yが0で、正解Yが1であった場合、Σ w_ix_i の値が小さすぎたとわかります。そのため、x_i が1である w_i について、少し大きい値に更新することで、Σ w_ix_i の値が大きくなるようにします。

これを複数のXとYのペアに対して何度も繰り返すと、誤った答えについて w_i の値が調整され、不正解が少しずつ減っていきます。つまり「学習」ができたということです。

今回は活性化関数にヒンジ関数（入力値が0より大きければ1を出力、そうでなければ0を出力）を用いたので、0か1かしか出力できませんでしたが、ここの関数を変更すると実数を出力することも可能になります。

精度が悪くても価値があるケースはある。アカデミアとビジネスの違い

機械学習におけるアカデミアとビジネスの大きな違いは、正解を含めたデータが既知かどうかです。アカデミアではデータは公開されており、新しい手法を考案して精度を競い合っています。ビジネスではこの逆で、データが公開されていません。また、顧客価値に資するかどうか、素早く提供できるかが焦点であり、新しい技術を採用するかどうかは関係がないのです。

そのため、ビジネスでの利用は、ディープラーニングや後述する生成 AI といった高度なものではなく、精度が劣っても使いやすい手法を用いて、機械学習による判定がランダムよりもマシなのかを確認するのが第一歩になります。パーセプトロンやロジスティック回帰、決定木などの枯れた技術や、そこから発展していった LightGBM などが真っ先に評価対象に挙がります。

精度が劣っていてもよい例を考えてみましょう。とある石には、割ると 1/2 の確率で宝石が入っていて 2 万円で売れる。石は 1 つ 9500 円で買える。石は硬いので 1 日に 20 個しか割れないとします。

Q 1：1 日に稼げる期待値はいくらか？
Q 2：石を割る速度を 2 倍にする機械が買えるとする。期待値はいくら増えるか？
Q 3：宝石の入った石を 60％の確率で当てる識別器が買え、仕入れを行う前に使えるとする。期待値はいくら増えるか？

A 1：1 個あたり 1/2 の確率で出る宝石は 2 万円で売れるので、石 1 つあたりの期待売上は 1 万円。費用は 9500 円なので、石 1 つあたりの収益は 500 円、1 日に 20 個処理できるので、1 日あたりの収益は 1 万円。
A 2：1 日あたりに処理できる量が 2 倍になる。つまり 1 日あたりの収益が 2 万円になる。この機械を導入することで増える収益は 1 日あたり 1 万円。
A 3：60％の確率で宝石（2 万円）が手に入るので、石 1 つあたりの収入の期待値は 1.2 万円。石 1 つあたりの仕入れ価格は 9500 円なので、収益は 2500 円。1 日に 20 個処理できるので 1 日あたりの期待収益は 5 万円。したがって、4 万円増える。

この問題設定では、「識別率50％を60％に上げる装置」が「加工速度を2倍にする装置」よりも4倍の顧客価値を持っていることがわかりました。このように、どの程度の精度でどの程度の顧客価値を生み出すことができるかはビジネス要件によって決まります。条件次第では高い精度を求めないことがよくあるのです。

　またこの問題のように、精度が悪くても価値があるケースや、ほんのわずかな改善で莫大な利益を生む業態をうまく見つけられる人が、評価される時代になってきています。

生成 AI による社会変革

2022 年の夏頃からの画像生成 AI ブームと、2022 年の 11 月にリリースされた ChatGPT によって、世界中は生成 AI ブームとなりました。本節では生成 AI 関連や AI そのものについて、周辺情報や、業界動向など、少し触っただけではなかなかわかりづらい情報について紹介していきます。また、筆者はハンドルネームである " ところてん " の名義で KADOKAWA から『ChatGPT 攻略』という書籍を出していますので、よろしければこちらもご参照ください。

生成 AI が IT パスポートのシラバスに追加

情報 I や IT パスポートを取り扱っている本書として外せないのが、IT パスポートの試験範囲の変更です。

2023 年 8 月、IPA（情報処理推進機構）は、生成 AI の登場が国民生活や企業活動に対して大きなインパクトを与えるとして、2024 年 4 月からの IT パスポートの試験範囲の変更を予告し、それにあわせた新しいシラバス（Ver 6.2）を公開しました。このシラバスでは生成 AI が試験範囲に含まれることが話題となりました。

以下は Ver6.2 で追加された部分の箇所の抜粋です。
- AI が学習に利用するデータ、AI が生成したデータについて、それぞれ個人情報保護、プライバシー、秘密保護の観点で留意が必要であること
- AI サービスが提供する API の活用、生成 AI の活用（文章の添削・要約、アイデアの提案、科学論文の執筆、プログラミング、画像生成など）

- AI の学習に利用するデータの収集方法及び利用条件，並びに出力リスク
- AI の出力データにおける、誤った情報，偏った情報，古い情報，悪意ある情報（差別的表現など）、学習元（出典）が不明な情報が含まれる可能性
- AI の出力に対する人間の関与の必要性
- エコーチェンバー、フィルターバブル、デジタルタトゥー
- 生成 AI、マルチモーダル AI、出力のランダム性
- 説明可能な AI（XAI：Explainable AI)，ヒューマンインザループ（HITL)
- ハルシネーション、ディープフェイク、AI サービスのオプトアウトポリシー
- 基盤モデル
- 過学習、事前学習、ファインチューニング、転移学習、畳み込みニューラルネットワーク（CNN)、再帰的ニューラルネットワーク（RNN)、敵対的生成ネットワーク（GAN)、大規模言語モデル（LLM)、プロンプトエンジニアリング
- プロンプトインジェクション攻撃、敵対的サンプル（Adversarial Examples)

https://www.ipa.go.jp/shiken/syllabus/t6hhco000000p7kt-att/syllabus_ip_ver6_2_henkou.pdf　より引用

　今後、生成 AI を利用しているかどうかで、ホワイトカラーの生産性に大きな差が出てくることは確実です。また、利用の容易さから、使っていて当たり前、使っているのがベースラインという状況になると予想されます。

　一方で、利用が容易である半面、正しく使うには多大な知識を要します。そのギャップを埋めるのが IT パスポートでの出題だと考えます。義務教育も高校教育も IT パスポートも、常にカリキュラムはアップデートされ続けています。アップデートされた差分の学び直しは全てのビジネスパーソンに求められます。

ChatGPT の知性とハルシネーション

　ChatGPT をはじめとする大規模言語モデル（LLM：Large Language Model）には、ハルシネーション（妄想）という問題が付きまといます。たとえば ChatGPT に「横浜の中華料理屋のおススメは？」と聞くと、かなり高い確率で存在しない店舗を紹介されます。

　ChatGPT の元となった GPT は次の単語を予測する AI です。たとえば「今日の天気は」という言葉の続きを予測させると、「今日の天気は晴れです……」となります。「今日の天気は」の続きには「晴れです」や「曇りです」や「あいにくの空模様です」といった天気に関する言葉が繋がりそうです。しかし、「中華料理屋です」「東京です」といった天気に関係のない言葉は繋がりそうもありません。

「横浜の中華料理屋のおススメは？」と聞かれた際に ChatGPT はどうするかというと、中華料理屋の店名のように聞こえる適当な言葉を繋いでしまうのです。これは ChatGPT の元になった GPT が「次の単語を予測する AI」だから仕方ないのです。

　ChatGPT は「過去のチャット履歴から、常識的に考えて繋がりやすい言葉を次々と繋げている」だけに過ぎません。しかし、この性能が極限まで高まった結果、ある種の知性と呼んでも差し支えないレベルにまで到達しています。

　我々が母国語で日常会話をしているときも、おおよそそんなものです。なんとなく繋がりやすい言葉を口に出しているだけで、裏側で高度な思考をしているわけではありません。けれども人はそこに知性を感じます。

　ハルシネーションの発生は、現在の LLM 単体での技術的な限界点です。ハルシネーションは創作と裏表です。メールのテンプレートを作ったり、文章の意味を出力させたり、特定の立場の人からの意見を貰ったり、こういった能力は創作する能力がなくては実現することができないのです。そのため、LLM が有効な問題を適切に見分け、有効な問題にだけ LLM を使うことや、ほかの技術と組み合わせることで LLM の欠点を補うことが求められます。

検索の時代から、生成の時代へ

インターネットは 20 年以上にわたり、検索の時代が続いてきました。Google の創業は 1998 年で、筆者も 2000 年頃から Google を使っていた記憶があります。

検索の時代が長らく続いた結果、「何かを出力するウェブサービスは、個別具体の正しい知識を返してくれるのだ」という思い込みをしている人が生まれています。そして、この思い込みがある人は、LLM に検索と同様に知識を尋ねようとするため、LLM をうまく使いこなせないという状態に陥っています。

2023 年 5 月 6 日の読売新聞オンラインの記事に、「チャットＧＰＴが珍回答、滋賀の三日月知事について『日本の漫画家です』『代表作るろうに剣心』」というニュースが掲載されました。これは滋賀県において、ChatGPT 導入のための調査を行った際に滋賀県知事について聞いたところ、ハルシネーションを起こした回答を答えられてしまった、というものです。
https://www.yomiuri.co.jp/national/20230506-OYT1T50064/

これは、ChatGPT を検索と同じように使おうとしたために起こっている問題です。ChatGPT は知識データベースではありません。与えられた文字列から次の文字を予測して出力する AI です。その性質上、「繋がりやすい言葉」を出力するのであって、「事実に基づいた言葉」を出力するわけではありません。ChatGPT にはある種の「常識」はあるが「知識」はないのです。

そのため、ウェブ検索と同じ感覚で個別具体の情報を尋ねると、高確率でハルシネーションが発生します。「滋賀県知事」や「横浜の中華料理屋」などの個別具体の知識は高確率で間違った答えを返します。

一方で、ChatGPT には多くの文章を通じて学んだ「常識」はあるので、抽象度が高い事柄や、一般論であればかなり正確に返してくれます。たとえば「県知事の仕事は何ですか？」や「中華料理屋にどんなメニューがありますか？」といった質問には、「常識」で判断してくれます。

検索エンジンと ChatGPT の大きな違いは、「常識の有無」と「個別具体の知識の有無」です。検索エンジンは個別具体のウェブページを返すため、そこ

から常識を知ろうとしたり、包括するような抽象概念を作ろうとすると骨が折れます。うまく情報が整理されたウェブページがあるとも限りませんし、偏見に満ちた整理の仕方をしたウェブページも多くあるでしょう。一方でChatGPT はこの逆で、個別具体の知識は持っていませんが、数多のウェブページから獲得した常識や抽象概念を持っています。

また、LLM の学習には極めて長い時間と費用がかかるので、何度も学習は行えません。2023 年 9 月現在、ChatGPT は 2022 年 1 月までの情報しか利用できません。一方、検索エンジンは新しいウェブページができたら、数時間程度で巡回し、検索にヒットするようになります。

検索エンジンを利用して物事を理解するには時間がかかります。何度も検索キーワードを変え、数多の検索結果のウェブページを閲覧し、業者が書いたアフィリエイト記事かどうかを確認し、記事で自分の中で咀嚼し……、というプロセスを経て初めて自分が本当に調べたかったことを理解することができます。

このような特性を表にすると次のようになります。検索エンジンとChatGPT は性質が逆である箇所が多いことが見て取れます。

	検索エンジン	ChatGPT（LLM）
得　意	・個別具体の知識の検索 ・最新の資料の参照	・複数のウェブページから獲得された、抽象概念や常識の利用 ・複数の資料の整理、演繹、推論
苦手 できない 利用者の仕事	・複数の資料の整理、演繹、推論 ・ウェブページの要約 ・複数のウェブページを包括するような抽象概念や、常識の獲得	・個別具体の知識の参照 ・最新の資料の参照 ・ウェブページの直接閲覧による事実確認

このような性質があるため、検索エンジンと ChatGPT は適宜使い分けなければいけません。また、両者の利点を掛け合わせた Bing Chat などもありますが、現時点ではウェブサイトを解釈した上でハルシネーションを起こすなどの問題が残っています。とはいえこれは時間が解決してくれる問題でしょう。

愚者は知識を問い、賢者は議論をする

　あなたは、ドリルがあるのに金槌を手に取って木に穴を開けようとしている人を見たら、何て愚か者だろうと思うことでしょう。ChatGPT の利用にも同じことが言えます。ChatGPT を検索エンジンと同じように、個別具体の知識を調べるために使おうとする人は、ドリルで釘を打とうとする愚者なのです。

　賢者は ChatGPT のもつ演繹能力・帰納能力・抽象化能力を活用し、議論のパートナーにします。以下は ChatGPT をうまく使いこなしている人がどのようにつかっているかという例です（ちなみに、この例は ChatGPT に出してもらいました）。

使い方	内容
情報の整理と構造化	利用者が複数のアイデアや情報を持っている場合、ChatGPT にそれらを整理して構造化するよう頼むことができます。
仮説検証	ChatGPT に対してある仮説を出し、それに対する論拠や反論を求めることで、仮説の強度を測る。
質問攻めにしてもらう	利用者が何かについての深い理解を求める場合、ChatGPT に多くの質問をしてもらい、自分自身の考えを深める。
逆の立場で議論	ChatGPT に自分とは反対の立場で議論をしてもらい、その過程で新たな視点や理解を得る。
情報のクロスチェック	あるトピックに対する自分の理解や資料を ChatGPT に示し、その正確性や完全性をチェックしてもらう。
アイデアの発展	ある基本的なアイデアを出した後に、それをどう展開していくかを ChatGPT に尋ねる。
ストーリーテリングでの概念説明	複雑な概念やアイデアをより分かりやすくするために、それをストーリーテリングの形で説明してもらう。

データ解釈	統計やデータに関する議論で、ChatGPT にデータの解釈や意味を尋ねる。
意思決定のサポート	利用者が選択肢の中から一つを選ぶ必要がある場合、それぞれの選択肢のメリット・デメリットを列挙してもらい、総合的な評価をする。
エキスパートの意見を模倣	ある専門領域についての議論を深めるため、その領域のエキスパートとしてどのような意見や視点があるかを ChatGPT に尋ねる。

　ChatGPT をうまく使うには、多少間違った答えを返しても良いタスクを行わせることが肝心です。ChatGPT は、いつ何時でも何回でも質問できる相談役や雑談役になってもらうことが価値を最大化するためのコツです。あなたが議論しようとしている相手は AI であり、無限の根気力を持っています。だから一発で最善の答えを返してもらう必要はないのです。何度も根気よく議論することが大事です。

政府系バズワード解説

　本節では日本政府が良く使っているバズワードの解説を行っていきます。これらの言葉の意味や源流を知ることで、政府の出している資料や、大手SI企業が出している資料が格段に読みやすくなります。

ESG、SDGs

　最初に紹介するのがESG（Enviroment、Social、Governance、環境、社会、企業統治）とSDGs（Sustainable Development Goals、持続可能な開発目標）です。よくSDGsがニュースで話題になることが多いのですが、SDGsの根っこであるESG投資と、さらにその根源であるPRI署名を押さえておかなければ、この潮流は理解できません。

　まず根源にあるのはPRI（Principles for Responsible Investment、責任投資原則）です。これは、機関投資家にESG投資の視点を組み入れることを求める、国連提唱の投資原則です。世界各国の機関投資家がこれに署名をし、日本も2015年にGPIF（年金積立金管理運用独立法人）がPRIに署名をしました。

　なぜこのような署名が必要かというと、そもそも企業の営利活動と、ESG、SDGsは基本的には相容れないからです。ESG、SDGsを無視した活動をしたほうが利益が出るのです。法に反しない限り、環境保護なんて金のかかることはやめて、廃液は垂れ流せばいいし、森は焼けばいいのです。企業の経済活動によって第三者に与える負の影響（専門用語では「負の外部性」という）は、無視したほうが利益がでるのです。

株式会社は株主の利益のために存在しています。法に反しない限り、他者や国や地球環境はどうでもいいのです。株主資本主義を突き詰めると、搾取的な構造や、不平等な仕組み、環境破壊が自然と生まれてしまうのです。したがって、株主資本主義による短期的利益の追求に何らかの形でブレーキをかけることが求められます。このブレーキの一つが ESG や SDGs に当たります。

　PRI 署名の結果、機関投資家の行動が変化しました。彼らは ESG や SDGs を重視している企業の株を積極的に買い、軽視している企業の株を売却したのです。すると ESG や SDGs を重視している企業の株価が上昇するのです。

ESG 投資と SDGs の関係
社会的な課題解決が事業機会と投資機会を生む

投資機会増　　　　　　ESG投資　　　　　事業機会増

GPIF ⇐ 運用会社 ⇒ **企業**
　　　　　　リターン

2015年9月署名　　　　　　　　　　　　　　　　　賛同
ESGの推進　　　持続可能な社会　　　共通価値創造 (CSV)

PRI Principles for Responsible Investment

原則 1　私たちは投資分析と意志決定のプロセスに ESG の課題を組み込みます。

原則 2　私たちは活動的な所有者になり、所有方針と所有慣習に ESG 問題を組み入れます。

原則 3　私たちは、投資対象の主体に対して ESG の課題について適切な開示を求めます。（原則 4～6 は省略）

SDGsのさまざまなゴール

GPIF 作成資料（https://www.gpif.go.jp/esg-stw/esginvestments/）を基に一部変更。

　実際に GPIF は、いくつかの ESG インデックスを通じて、多額の資金を株式市場に投入し、運用しています。GPIF の 2023 年 3 月時点での運用状況は次の通りです。数兆円もの資金が ESG の名のもとに株式市場に投下されているのです。

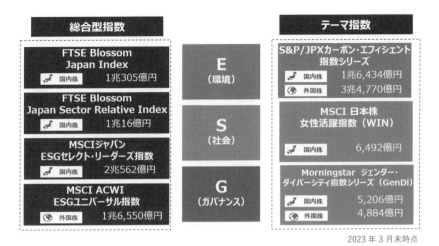

総合型指数		E (環境)	テーマ指数	

総合型指数

FTSE Blossom Japan Index
国内株　1兆305億円

FTSE Blossom Japan Sector Relative Index
国内株　1兆16億円

MSCIジャパン ESGセレクト・リーダーズ指数
国内株　2兆562億円

MSCI ACWI ESGユニバーサル指数
外国株　1兆6,550億円

E（環境）

S（社会）

G（ガバナンス）

テーマ指数

S&P/JPXカーボン・エフィシェント指数シリーズ
国内株　1兆6,434億円
外国株　3兆4,770億円

MSCI 日本株 女性活躍指数（WIN）
国内株　6,492億円

Morningstar ジェンダー・ダイバーシティ指数シリーズ（GenDI）
国内株　5,206億円
外国株　4,884億円

2023 年 3 月末時点

引用：https://www.gpif.go.jp/esg-stw/esginvestments/

　機関投資家が株を買うということは、企業の株価が上昇することを意味します。企業は自社の株価が上昇すると、上昇した株価を元にした新株発行による資金調達や、株を担保にした低金利の借入、株式転換社債による資金調達が可能になります。つまり、企業は株価が上昇すると、資本コスト（利子など）が相対的に低下し、市場競争力が改善するのです。さらには上昇した株価を利用して、株式交換による M&A を行い、企業を成長させることもできます。

　PRI 署名の結果、上場企業は「ESG、SDGs を重視すると株価が上がり、市場競争力が改善し株主利益に貢献する」という状態になりました。PRI 署名は、ESG や SDGs の活動（人類の長期的な利益）と企業営利活動（企業の短期的利益）の両立を可能にしたのです。このような背景から、上場企業と非上場企業では ESG や SDGs に対する考え方は、全くの別物になります。

　上場企業では「株価の上昇による資本コストの改善と、ESG・SDGs の活動によるコスト増が釣り合うのか？」というのが争点になります。ESG や SDGs に全力で投資したところで、赤字になってしまっては元も子もないのです。つまり、資本コストの改善を目指した、ほどほどの ESG・SDGs 投資が正解になるのです。また、他社よりも少しだけ多く ESG や SDGs に投資することで、ETF の銘柄に入り続けることがゴールになります。

　非上場企業では株価上昇の恩恵はありません。そのため、ESG や SDGs に取り組んでも直接的な恩恵は得られないのです。しかし、上場企業と取引をす

るためには ESG や SDGs への取り組みが求められます。さらには、上場企業に対して「上場企業が ESG や SDGs に貢献したことになる商品やサービス」をいかに販売できるか、ということが求められます。つまり、BtoB 取引においては、ESG や SDGs に対する取り組みが間接的に有効となるのです。

　もちろん、SDGs の概念の普及により、SDGs に配慮した商品を選好する消費者も増えています。そのため、SDGs を推進することは企業利益と相反することはなくなりつつあります。しかし背景にはこのような株式資本主義の問題や、株価と資本コストの関係性があることを念頭に入れておいてください。このロジックがわかっていないと、ESG や SDGs のブームがなぜ起こっているのかを理解することは難しいでしょう。

Industry4.0、第四次産業革命

Industoy4.0 は、2011 年にドイツ政府が公表した政策に端を発しています。これは和訳され第四次産業革命と呼ばれています。第四次ということは、第一次から第三次がこれの前にあるのです。そのため、第一次産業革命から第四次産業革命までをざっくりと整理して紹介しましょう。それが次の表になります。

	年代	基礎技術	産業での技術利用
第一次 産業革命	1780 年代〜	石炭火力、水力、 蒸気機関	軽工業、ラインシャフト による動力伝達
第二次 産業革命	1870 年代〜	石油、内燃機関、電力	重工業、石油化学製品、 自動車産業、電気モー ターによる動力の分散 化、大量生産
第三次 産業革命	1970 年代〜	原子力、情報通信、 コンピュータ	PLC やコンピュータによ る製造装置の制御、生産 の自動化
第四次 産業革命 Industry 4.0	現代	IoT、AI、ロボット、クラウド、 シェアリングエコノミー、 FinTech、 サイバーフィジカルシステム （CPS）、デジタルツイン	生産計画の自動化、受発 注の自動化、工場同士の 自動連携、マスカスタマ イズ生産、物流の自律化

一般にイギリスで起こった産業革命は、第一次産業革命と呼ばれています。その後、電気の普及やコンピュータの普及によって、製造業は新しい技術を取り入れ、飛躍的に生産性を改善していきました。その延長線上に、IoT を活用した次世代の製造業があるだろうということで登場したのが第四次産業革命なのです。

第四次産業革命が進展した世界では、工場は生産計画の自動化や、受発注の自動化、工場同士の自動連係、物流の自律化、マスカスタマイゼーション（生産ラインに常に別の製品が流れ続ける、大量生産をしながらカスタマイズ生産を行う）が起こるとしています。

ドイツ政府がこのような提言を行った背景には、トヨタのボトムアップ型の
トヨタ生産方式や、アメリカのトヨタ生産方式をベースにトップダウンの考え
方を加えたリーン生産方式、またアジア各国の製造業の改善に対する危機感が
あります。

　ドイツの製造業を復活させるための指針となるのが、Industry4.0という考
え方と政策です。そして、Industry4.0を平たい言葉でいうと、「トヨタやアメ
リカがやってる生産方式を、IoTとソフトウェアで実行しよう」や、「最先端
の工場のノウハウをまとめて、それに倣うようにしよう」といったものになり
ます。

　第四次産業革命の技術基盤にはCPS（Cyber-Physical System）というもの
があるので、これについては次項で解説していきます。

CPS：Cyber-Physical System、
データ駆動型社会

CPS は第四次産業革命の基幹を成す考え方です。これは IoT デバイスにより さまざまな現実世界の情報を集積し、それらを元にコンピュータ上でのシミュレーションを行い（≒デジタルツイン）、そのシミュレーション結果を現実に反映していくというサイクルです。

日本政府はこのサイクルを「データ駆動型社会」と名付け、2015 年頃から多くの政府資料で利用しています。IT の現場では、CPS やデータ駆動型社会という言葉を使っている人はほとんどいません。しかし政府資料にこれらが多用される以上、知っておかないと政府資料が読めないものとなっています。経産省の資料ではデータ駆動型社会は次のように紹介されています。

＜図3：CPSによるデータ駆動型社会の概念図＞

https://www.meti.go.jp/committee/sankoushin/shojo/johokeizai/pdf/report01_02_00.pdf

単なる IoT からのセンサーデータの分析のみならず、他業種とのデータの交換を通じた、全体最適化を目指したシミュレーションを行うことが図から示唆されています。この考え方は現在は Society 5.0、超スマート社会として整備されています。

Society 5.0、超スマート社会

　Society 5.0（超スマート社会）についても、2015年ごろからさまざまな政府資料に登場する言葉なので、この言葉を知らないと政府資料を読み解くことは困難です。ましてや情報Iの教科書にまで、説明無しでさも当たり前のように登場しています。Society 5.0とは何が5.0なのでしょうか。これについては内閣府のSociety 5.0の説明ページから引用しましょう。

　Society 5.0とはサイバー空間（仮想空間）とフィジカル空間（現実空間）を高度に融合させたシステムにより、経済発展と社会的課題の解決を両立する、人間中心の社会（Society）

　狩猟社会（Society 1.0）、農耕社会（Society 2.0）、工業社会（Society 3.0）、情報社会（Society 4.0）に続く、新たな社会を指すもので、第5期科学技術基本計画において我が国が目指すべき未来社会の姿として初めて提唱されました。

Society 5.0 は、狩猟、農耕、工業、情報、に続く新たな社会として定義されています。平たく言うと「第四次産業革命の発想を工場だけじゃなくて、社会全体のありとあらゆる分野に適用しよう」という活動です。

Society 5.0 は、ドイツが Industry4.0 を流行らせたように、日本発で流行らせようとした新しい社会のあり方の概念です。しかし残念ながら、日本のほかにはインドネシアくらいでしか利用されていません。欧米から入ってきた言葉のように見えて、じつは和製英語なのです。

Society 5.0 は第四次産業革命をどのように社会全体に拡張させたのでしょうか？　これについても内閣府の資料から引用します。

これまでの情報社会（Society 4.0）では知識や情報が共有されず、分野横断的な連携が不十分であるという問題がありました。人が行う能力に限界があるため、あふれる情報から必要な情報を見つけて分析する作業が負担であったり、年齢や障害などによる労働や行動範囲に制約がありました。また、少子高齢化や地方の過疎化などの課題に対して様々な制約があり、十分に対応することが困難でした。

Society 5.0 で実現する社会は、IoT（Internet of Things）で全ての人とモノがつながり、様々な知識や情報が共有され、今までにない新たな価値を生み出すことで、これらの課題や困難を克服します。また、人工知能（AI）により、必要な情報が必要な時に提供されるようになり、ロボットや自動走行車などの技術で、少子高齢化、地方の過疎化、貧富の格差などの課題が克服されます。社会の変革（イノベーション）を通じて、これまでの閉塞感を打破し、希望の持てる社会、世代を超えて互いに尊重し合あえる社会、一人一人が快適で活躍できる社会となります。

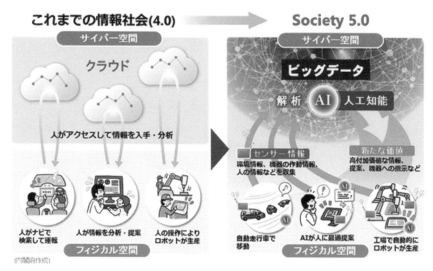

https://www8.cao.go.jp/cstp/society5_0/

　Society 5.0 では、個社によるデータの利活用から、複数社にまたがるデータ分析を行う体制を作り、社会全体を改善していこうという活動です。Industry4.0 では「工場同士が連携」でした。Society 5.0 では、そこからさらに発展して、「同業種のみならず異業種と連携」することで、社会全体の効率改善を目指すのです。

　Society 5.0 の実例としては、電力会社と運送会社が組んで取り組んだ、再配達の問題があります。宅配便では届け先の住人が不在だと荷物を持ち帰り、後日再配達となります。そのため、いかに再配達を減らせるかが、運送員の労働負荷を下げ、配送車による CO_2 排出を削減し、運送会社の利益に繋がります。以下は国土交通省による再配達による経済損失の試算です。

距離の伸長率から、CO2排出量の増加を算出。また、配達回数の増分から生産性への影響を算出。

再配達によるCO2排出量への影響

35億$7,008$万個	$\times$	0.58km/個	$\times$	25%	$\times$	1 t	$\times$	$808/1,000,000$ t-CO2/t・km
2014年度の宅配便扱い個数（トラック輸送）		宅配便1個に対する配達車の走行距離（※1）		走行距離の内25%が再配達のために使われている		積載量の平均を1tとして		営業用小型車のCO2排出原単位

1年間の全ての宅配便配達車の総走行距離

1年間で不在配達により発生した走行距離 = $418,271$ t-CO2 が年間で発生 (※2)

これは、スギの木　約1億7,400万本の年間CO2吸収量に相当する。（※3）
面積で、山手線の内側2.5個分と同じ広さのスギ林の年間CO2吸収量に相当。（※4）

再配達による労働生産性への影響

35億$7,008$万個 $\times$ ($972,747$回 $\div$ $4,136,887$個) $\times$ 0.22時間 = 約1.8億時間 が1年間の不在配達に費やされている

（宅配便1個の配達に係る作業時間（※5））

2014年度の宅配便扱い個数（トラック輸送）　　平成26年12月国交省調査での全不在回数　÷　全貨物個数

1年間で発生した不在配達回数

1日の平均労働時間を8時間、年間労働日数250日とすると、年間9万人の労働力に相当

※1　宅配事業者数社から提供の配達車の走行距離を、取扱い個数で除して算出。走行距離には幹線輸送の数値を含まない。
※2　従来トンキロ法により算出
※3　林野庁HP（http://www.rinya.maff.go.jp/j/sin_riyou/ondanka/con_5.html#q1）より、樹齢35年から40年として試算
※4　山手線の内側の面積69.5㎢、必要なスギ林の面積　174㎢
※5　宅配便配達に係る、仕分け、積み降ろし、車両の運転、車両から消費者への配達、資材整理　等を含む時間

3

再配達の発生により大きな社会的損失が発生。

国土交通省　宅配の再配達の発生による社会的損失の試算について
https://www.mlit.go.jp/common/001102289.pdf

　再配達の問題に対して、佐川急便、JDSC、東京大学大学院 越塚登研究室・田中謙司研究室、横須賀市、グリッドデータバンク・ラボ有限責任事業組合の5者は、不在配達の削減を目指し実証実験を行いました。実証実験では、実験に協力した150世帯の家庭に設置されたスマートメーター（リモートセンシング可能な電力計）のデータが利用されました。

　実証実験では、まず各家庭に設置されたスマートメーターが消費電力を記録し、ネットワークを経由してサーバにアップロードします。次に、記録された消費電力のパターンを元に、在宅か不在かを推定します。最後に、在宅確率が高い時間帯に訪問するように、配送先経路をリアルタイムに変更します。このような流れを通じて、実証実験では不在率が20％改善できたという報告をしています。

　このような複数社を跨いだデータの共有による社会全体の最適化は、まさにSociety 5.0 と言ってよい事例だと思います。

おわりに

本書の執筆依頼の話を頂いたときは、二つ返事で「やる」と答えてしまったものの、執筆は一筋縄ではいきませんでした。

当初は「入社数年目までの非IT系社会人をターゲットにした情報Iの解説本」という企画でスタートしました。しかし、「情報Iと同じ項目を解説するにあたって、教科書よりもよい本を作れるか?」と自問自答し続けていたら、心が折れてしまいました。教科書はフルカラーですし、図表だらけだし、大量に出版されて返本もないから1冊約1000円だし……。

最初期の原稿を読み返すと、音を解説する項目では「振動の伝搬」「人間の耳介の構造と仕組み」「スピーカーとマイクの動作原理、電磁誘導の仕組み」「ADCとDACによるデジタルと電圧の変換」「サチレーションとは何か?」「人間の感覚はログスケールなので、デシベルが必要」といった具合に、情報学のみならず、物理学、生物学、電磁気学、電子工学、人間工学を横断するような内容になっていました。情報Iの教科書よりもよいものを作ろうとして、空転していた痕跡があります。自分の能力を超えた範囲を書こうしていたのです、そりゃあ書けないわけです。

そこで、本書の企画を方針転換し、「社会人1年目だったときの私が読みたい本」「そもそも今の私自身が読みたい本」「今の自分が面白いと感じていることを書き残す」といったことを書くように章立てを変更しました。

結果として、情報Iの範囲を踏み越えた部分もありますが、情報IやITパスポート学習の副読本として、かなり面白い内容になっていると自負しています。また、社会動向や資格試験の情報、指導要領の改訂状況、統計のおさらい等を盛り込み、リスキリングの基準点を考える際に使える内容に仕上がっていると思います。

それでも、執筆の過程では「理解していること」と「説明できること」の狭間で何度も頭を抱えることになりました。統計の教科書などは何度も読み返し、パーセプトロンの勉強も一からやり直しになりました。1ページを書くのに再勉強が5時間といったことが何度もありました。おかげでよい勉強になりました、締め切りはだいぶ遅れましたが……。

1章のDXや情報Iによる変革は、筆者が普段行っている企業幹部向けの講演がベースとなっています。経営企画や人事部門が「情報」について知りたくなったときに1冊目に読む本としては、よくできていると思います。

　2章の情報Iの教科書解説は、教科書を読んで、これは解説が必要だろうという項目と、これは一歩踏み込んで解説したら面白いだろうという項目からなっています。ちなみに、筆者は元セキュリティ研究者なので、セキュリティの部分はだいぶ饒舌になっています。

　3章の「人間とコンピュータの違い」と「要件定義」は、生物学の研究者を対象にしたコンピュータサイエンスの講演資料をベースとしています。非IT系の理系修士以上がターゲットなので、読み解くのに基礎体力がいるものになっています。

　4章については、本来は機械学習の事業導入の話や、生成AI関連の面白い話がいくつかあったのですが、紙面の都合でバッサリとカットされてしまいました。カットされた原稿はそのうちどこかで公開したいと思います。

　本書の企画の立て直しの提案を快諾（？）していただいた、編集の野元さん、本書の校正に協力していただいたインターネッツ秘密結社pyspaの面々、機械学習の解説の元スライドを頂いたサイボウズ・ラボの西尾泰和氏に感謝申し上げます。

　さて、最後になりますが、筆者は株式会社NextIntという会社を経営しており、事業コンサルティングや、機械学習のコンサルティング、新規事業開発支援、企業研修、プログラミング教育、ゲームディレクター業などを提供しています。ご興味のある方はhttps://twitter.com/tokoroten もしくはtokoroten@nextint.co.jp までご連絡ください。

中山心太

〈著者略歴〉

中山心太（なかやま　しんた）

株式会社 NextInt 代表。電気通信大学大学院博士前期課程修了後、NTT 情報流通プラットフォーム研究所（当時）にて情報セキュリティやビッグデータの研究開発に携わる。その後統計分析、機械学習によるウェブサービスやソーシャルゲーム、EC サービスのデータ分析、基盤開発、アーキテクチャ設計などを担当。2017 年に株式会社 NextInt を創業。機械学習に関するコンサルティング、企業研修などを行う。著書に『ChatGPT 攻略』（KADOKAWA）、共著に『仕事ではじめる機械学習』（オライリージャパン）『データサイエンティスト養成読本 ビジネス活用編』（技術評論社）がある。

高校生だけじゃもったいない

仕事に役立つ新・必修科目「情報Ⅰ」

2023 年11月9日　第1版第1刷発行
2024 年6月20日　第1版第2刷発行

著　者　　　中　山　心　太
発行者　　　岡　　修　平
発行所　　　株式会社ＰＨＰエディターズ・グループ
　　　　　　〒135-0061　江東区豊洲5-6-52
　　　　　　☎03-6204-2931
　　　　　　https://www.peg.co.jp/

発売元　　株式会社ＰＨＰ研究所
東京本部　〒135-8137　江東区豊洲5-6-52
　　　　　　普及部　☎03-3520-9630
京都本部　〒601-8411　京都市南区西九条北ノ内町11
PHP INTERFACE　https://www.php.co.jp/

印刷所
製本所　　　図書印刷株式会社